D0784819

3 filles

et
des torrents
de larmes

**Retrouve les autres romans de Jacqueline Wilson
chez Hachette Jeunesse :**

Trois filles (et neuf bonnes résolutions)

Trois filles (et dix kilos en trop)

Trois filles (et douze coups de minuit)

Dans la collection Livre de Poche Jeunesse :

Le couteau sous les yeux

Une amie d'enfer

L'édition originale de cet ouvrage a été publiée en langue anglaise par Doubleday, une division de Transworld Publishers, Londres, sous le titre : *GIRLS IN TEARS*

Jacqueline WILSON

3 filles
et
des torrents
de larmes

Traduit de l'anglais (Grande-Bretagne)
par Laurence Kiefé

Tests rédigés par Blandine Mécheri

*Pour Rosemary, Vicky, Stacen, Rayleigh,
Lizzie, Lauren, Mhairi, Rupal, Sarah Jane,
Billy, Farah et tous mes amis du service 27.*

*Ce livre est également à la mémoire
de deux filles pas ordinaires, Rohina et Jo.*

1
Les filles pleurent
quand elles sont heureuses

Vous devinerez jamais de la vie ! Je suis tellement heureuse ! J'ai envie de rire, de chanter, de crier, et même de pleurer un bon coup. Je meurs d'impatience de tout raconter à Nadine et Magda.

Je descends prendre le petit-déjeuner, je bois une gorgée de café, je grignote un toast sans beurre, la main posée bien à plat à côté de mon assiette.

J'attends que quelqu'un fasse une remarque. J'adresse un sourire plein d'insouciance à mon père et à Anna, ma belle-mère. Je souris même à Eggs, mon petit frère, alors qu'il a un rhume et une chandelle verdâtre pas très appétissante qui lui coule du nez.

— Pourquoi tu me fais une grimace, Ellie ? me demande Eggs d'une voix pâteuse parce qu'il est en train de s'empiffrer de pain recouvert d'une épaisse couche de confiture de fraises. Arrête de me regarder comme ça !

Comme il n'y a plus de beurre, Anna lui a permis de prendre une double ration de confiture.

— J'ai aucune envie de te regarder, monsieur Morve-au-Nez. Tu n'es pas un très joli spectacle...

— Je veux pas être joli, réplique Eggs en reniflant tellement bruyamment que tout le monde proteste.

— Bon sang, fiston, ça donne pas envie de manger, ces bruits-là ! s'exclame papa en tapant Eggs avec son journal.

— Va chercher un mouchoir, Eggs, dit Anna sans cesser de griffonner comme une folle sur un bloc.

D'accord, on ne pouvait pas espérer que papa et Eggs remarqueraient quelque chose, mais Anna, j'étais sûre qu'elle s'en apercevrait tout de suite.

— Y a plus de mouchoirs, réplique Eggs d'un ton triomphant tout en soufflant pour faire des bulles par le nez.

— Oh zut, c'est vrai, je ne suis pas allée au

supermarché hier ! dit Anna. D'accord, Eggs, tu n'as qu'à prendre du papier toilette à la place.

— J'en ai pas, répond Eggs qui regarde autour de lui comme s'il s'attendait à voir défiler dans notre cuisine tous les bébés de la pub pour Lotus. Qu'est-ce que tu dessines, maman ? C'est un lapin ? Montre-moi.

Il tire sur la feuille d'Anna. Anna résiste. La feuille se déchire en deux.

— Oh bon sang de bonsoir, Eggs ! crie Anna. Je travaille sur ces satanés dessins de lapins pour linge de maison depuis six heures du matin ! Alors, file aux cabinets, va chercher du papier et mouche-toi immédiatement ! J'en ai vraiment marre de tes bêtises, c'est compris ?

Eggs renifle, surpris. Il sort de table et part à reculons, l'air inquiet. Il laisse tomber la demi-feuille de papier d'un air coupable et file vers la porte, le menton tremblant. On l'entend pleurer dans l'entrée.

— Il pleure, Anna, constate papa.

— Je sais, répond Anna en commençant un nouveau dessin sur une autre feuille.

— Mais qu'est-ce qui te prend ? Pourquoi es-tu aussi sèche avec lui ? Il voulait seulement regarder, dit papa en repliant son journal. Je vais aller consoler ce pauvre petit Eggs, ajoute-t-il d'un air de martyr en se levant.

— C'est ça, vas-y, rétorque Anna entre ses dents serrées. Après tout, c'est ton fils aussi, même quand il se réveille cinq fois dans la nuit parce qu'il a le nez bouché. Ce qui ne t'empêche pas de continuer à ronfler comme un bienheureux.

— Rien d'étonnant à ce que ce gamin ait le nez bouché s'il ne peut pas se moucher. Mais, bon Dieu, pourquoi est-ce qu'il n'y a plus ni beurre ni mouchoirs dans cette maison ? Il me semble pourtant que ce sont des produits de première nécessité, non ?

— Oui, réplique Anna sans cesser de dessiner – mais sa main tremble. Et ils apparaissent toujours comme par magie dans cette maison parce qu'il se trouve que l'un d'entre nous se tape le supermarché toutes les semaines.

Je ne peux plus supporter cette ambiance. Ma bulle de bonheur est sur le point d'éclater. Ma main magique se crispe. Qu'est-ce qui leur arrive, à papa, Anna et Eggs ? Pourquoi c'est le drame ? Pourquoi papa ne propose-t-il pas de faire les courses ? Pourquoi Anna est-elle incapable de parler gentiment ? Pourquoi Eggs ne pense-t-il pas tout seul à se moucher ? Pourquoi tout ça doit-il finir en scène idiote où papa crie, Anna est au bord des larmes et Eggs braille ?

C'est moi l'ado. C'est moi qui devrais crier et brailler. Et regardez-moi ! Je suis la petite Ellie toujours pleine d'entrain parce que... oh, parce que parce que parce que !

Je tends la main, j'écarte les doigts, bien ostensiblement. Anna lève les yeux. Elle me regarde. Elle regarde ma main... Mais ses yeux bleus restent inexpressifs. Elle ne voit que ses saletés de lapins à broder.

J'attrape mon sac à dos et je dis au revoir à Anna et papa. Ils me remarquent à peine. Je trouve Eggs complètement abattu dans les cabinets du rez-de-chaussée et je l'embrasse. Grossière erreur. Il laisse une petite trace de morve sur ma veste d'uniforme, là où il s'est essuyé le nez. Puis il me regarde.

— Pourquoi t'es gentille avec moi, Ellie ? demande-t-il d'un ton soupçonneux.

C'est vraiment du temps perdu de jouer les Sœur Sourire dans cette famille. Je ferais bien mieux d'être méchante et de mauvaise humeur.

— D'accord, quand je reviendrai ce soir, je serai très très méchante, je réplique à Eggs en montrant les dents et en faisant mine de l'étrangler à deux mains.

Il ricane nerveusement, sans savoir si c'est une plaisanterie. Je tends la main pour lui caresser les cheveux, mais il esquive. Je lui souris et je file, parce que je n'ai pas envie d'écouter une seconde de plus la bagarre qui enfle dans la cuisine.

Papa et Anna se comportent en ce moment presque comme s'ils se haïssaient. Ça commence à me faire peur. C'est bizarre de penser qu'au début, quand papa a épousé Anna, je pouvais pas la sentir. J'aurais donné n'importe quoi pour qu'ils se séparent. Pour moi, Anna représentait l'horreur absolue. J'étais une petite fille. Je n'étais pas prête à me montrer juste. Je la détestais simplement parce que j'avais l'impression qu'elle cherchait à prendre la place de maman.

Maman est morte quand j'étais petite. Je pense toujours à elle tous les jours. Pas tout le temps, à certains moments de nostalgie. J'aime bien lui parler dans ma tête et l'écouter me répondre. Je sais que ce n'est que moi, évidemment, mais ça me réconforte quand même.

Avant, je croyais que chaque fois que j'allais faire les magasins avec Anna ou que je m'installais avec elle sur le canapé pour regarder un épisode de *Friends,* je me montrais incroyablement méchante et déloyale à l'égard de maman. Ça me mettait dans tous mes états. J'en parlais à Anna et du coup, elle aussi, elle se sentait mal. Mais, maintenant, je me rends bien compte à quel point cette façon de réfléchir était fausse. Je peux aimer énormément Anna sans pour autant cesser d'aimer ma mère. Tout simplement.

Après tout, depuis toujours, j'ai deux meilleures amies et je ne m'angoisse pas pour savoir si je préfère Nadine ou Magda. Je les aime toutes les deux, elles m'aiment aussi et je suis sacrément impatiente de le leur montrer, à elles !

Je cours vers l'arrêt de bus, histoire d'arriver de bonne heure au collège. Je tourne l'angle de la rue à toute vitesse, mon sac volant derrière moi, et là, je fonce direct dans ce type blond sur lequel j'ai drôlement craqué il y a quelque temps. L'Homme-de-mes-rêves – sauf que je me suis rendu compte qu'il était homo. De toute façon, même s'il était hétéro, il est beaucoup plus vieux que moi et d'une beauté tellement renversante qu'il n'aurait jamais envisagé de sortir avec une collégienne rondouillarde, affligée de cheveux frisés, de lunettes et d'une tendance à rougir comme une tomate toutes les dix minutes.

Oh, nom d'un chien ! je rougis, justement. Il me fait un grand sourire.

— Tiens, voilà la fille toujours pressée, dit-il.

— Je suis absolument désolée. Je ne t'aurais pas donné un coup de sac dans les rotules par hasard ?

— J'en ai bien l'impression. Mais je te pardonne. Tu dois être très impatiente d'aller en cours !

Je lève un sourcil. Enfin, c'est ce que j'espère, en tout cas. Si ça se trouve, je suis seulement en train de lui adresser une grimace des plus concupiscentes.

— Les cours, c'est pas exactement ce qui me motive, je réplique. Je ne suis pas du genre studieux. Non, j'ai juste envie de retrouver mes copines.

— Ah, vous les filles, je vous envie ! Vous partagez tant de choses entre copines ! Nous les mecs, on a nos potes, mais on n'est jamais si proches que ça. Allez, à bientôt.

— Oui, à bientôt, je réponds. Et la prochaine fois, j'essaierai de ne pas te rentrer dedans.

Je reprends mon chemin en dansant, sans cesser de balancer mon sac. On s'est réellement parlé. Il est vraiment adorable. Il y a quelques mois, j'aurais été absolument folle de joie, ivre de bonheur, au nirvana, proche de l'extase. Aujourd'hui, je trouve ça très bien, mais pas de quoi en faire tout un plat ! C'est juste un copain. Je sais qu'il a un petit ami... mais moi aussi.

Russell compte davantage pour moi que le plus beau mec de la terre. Et d'ailleurs..., c'est lui le plus beau mec de la terre, il n'y a pas de doute. Je considère qu'il n'y a pas mieux. Et lui, il pense la même chose de moi. Je le sais très bien. Il l'a prouvé hier soir. Attends un peu que je raconte ça à Magda et Nadine !

Je me dépêche tellement pour attraper le bus que, lorsque j'arrive au collège, elles ne sont même pas encore là ! C'est bien la première fois en deux ans et demi que je suis plus matinale qu'elles. Décidément, ce jour est à marquer d'une pierre blanche.

Allez, venez, Magda et Nadine ! Où êtes-vous ? Il y a déjà quelques filles dans la classe, les bonnes comme Amna. Je me demande l'effet que ça fait d'être aussi douée, tout le temps tête de classe. Mais en arts plastiques, je suis meilleure qu'elle, et pour moi, c'est la matière qui compte.

J'aime tellement ça, les arts plastiques ! C'est ce que papa enseigne à l'école d'arts appliqués. Les gens disent que je tiens de lui. Mais moi, je n'ai pas envie de penser cela. C'est de ma mère que je tiens. Elle aussi, elle avait un tempérament artistique. J'ai encore le magnifique livre d'images qu'elle m'a fabriqué quand j'étais petite, rempli des délicieuses histoires d'une mignonne souris qui s'appelle Myrtille. Elle a de grandes oreilles violettes et une petite tête mauve, avec un nez rose et pointu et des moustaches bleues assorties à sa longue queue.

Penser à Myrtille, ça me serre brusquement le cœur. Et si j'essayais de me lancer moi aussi ? J'adore inventer des personnages de dessins animés. Ma création préférée, c'est Ellie-l'Éléphant, inspirée par moi-même. Je n'ai rien des mensurations d'une mini-souris. J'aurais plutôt les proportions d'un gros pachyderme balourd, mais j'ai décidé de ne plus m'en soucier.

Le trimestre dernier, je me suis lancée dans un régime de folle qui a rendu tout le monde dingue autour de moi. J'étais moi-même complètement dingue, je pétais les plombs dès que je mangeais autre chose qu'une cuillerée de fromage blanc et une feuille de laitue.

Enfin ! Nadine pénètre silencieusement dans la salle, l'œil noir et brillant, ses longs cheveux noirs encadrant son visage d'une blancheur de craie. Nadine réussit à ressembler à la reine des Goths même dans son uniforme de l'école. Quoique sa figure ne soit pas totalement dépourvue de couleur aujourd'hui. Elle a deux taches rouges sur les joues. Chez elle, c'est le seul signe visible de réelle excitation. Elle a beau s'efforcer de conserver un visage impassible, ses yeux brillent d'un éclat diabolique.

Je lui fais un signe de la main en remuant exagérément les doigts. Elle ne me regarde pas vraiment. Elle se contente de me saluer en agitant ses ongles d'un noir nacré.

— Tu ne devineras jamais, Ellie ! s'exclame-t-elle.

Impossible de placer un mot pour lui raconter mes propres nouvelles incroyables !

2
Les filles pleurent quand leurs copines leur parlent méchamment

Ça, c'est du Nadine tout craché ! Je l'adore mais il faut toujours qu'elle me gâche mes plaisirs. Et ce n'est pas nouveau ! Le jour où j'étais folle de joie d'avoir enfin ma première poupée Barbie, le modèle standard pour gamines, Nadine a reçu une Barbie « reine de la nuit » spéciale collector avec des cheveux longs et une somptueuse robe bleu foncé. La poupée était censée rester à l'abri dans sa boîte en plastique, mais Nadine n'hésitait pas à la sortir, à coiffer son incroyable chevelure et à la faire voler dans les airs ; ses jupons tournoyaient, c'était une vraie poupée magique qui lançait des sorts extraordinaires. Alors moi, avec ma Barbie hyperbanale, je ne faisais pas le poids évidemment. La reine de la nuit de Nadine ne pouvait pas être copine avec ma Barbie à moi, qui était bien trop moche et ordinaire et en plus incapable de jeter le moindre sort. Elle était plutôt de l'étoffe dont on fait les domestiques. Donc, ma Barbie devait accomplir des tâches humbles et basses pour la reine de la nuit. Ça ne lui plaisait pas du tout – et à moi non plus.

Et puis la mère de Nadine a découvert que la reine de la nuit avait des nœuds dans les cheveux et un trou dans sa robe parce qu'elle lançait des sorts avec vraiment trop d'enthousiasme. La reine de la nuit a été confisquée et enfermée dans son palais de plastique. Nadine n'a pas eu le droit de sortir jouer pendant quinze jours. Mais elle s'en fichait. Elle se penchait à la fenêtre de sa chambre et elle gémissait d'un ton pathétique pour le profit des passants étonnés : « Au secours ! Ma cruelle mère m'a enfermée à double tour et elle a jeté la clé ! »

À l'âge de dix ans, j'ai eu le droit de porter ma toute première paire de chaussures à petits talons à la fête de l'école, mais ce jour-là, Nadine, elle, est arrivée avec des bottines pointues à talons aiguilles. Elle est tombée trois fois quand on a dansé mais ça ne l'empêchait pas d'avoir quand même l'air incroyablement à l'aise.

La situation a encore empiré quand on est entrées au collège. C'est Nadine qui a eu d'abord ses règles, son premier baiser, son premier petit copain sérieux. Liam est un vrai nul mais il est beau mec et il a dix-huit ans. Ils ont rompu parce que Nadine s'est aperçue de tous ses défauts – mais n'empêche elle a toujours l'air de penser à lui avec une certaine nostalgie. Jusqu'à aujourd'hui...

— J'ai rencontré un mec génial super top ! Il correspond exactement à l'Homme-de-mes-rêves, Ellie, tellement parfait que j'ai presque l'impression de l'avoir fabriqué sur mesure.

Elle me regarde en haussant un sourcil. Elle fait ça à la perfection. Elle insinue toujours que certaines personnes ont tendance à fantasmer sur leurs petits amis et finissent par raconter de gros gros mensonges à leurs copines... certaines personnes comme moi. Je me suis laissé un peu emporter quand Nadine a annoncé qu'elle sortait avec Liam. Surtout que ma deuxième meilleure amie, Magda, est d'une somptueuse beauté et qu'elle peut avoir tous les types qu'elle veut. Je me sentais tellement exclue que j'ai commencé à inventer cette histoire à propos de Dan, un garçon très énervant que j'avais rencontré au pays de Galles pendant les vacances, en disant que c'était la perfection incarnée. Après, une fois que j'avais commencé, je ne pouvais plus m'arrêter. Oh, c'est un tel soulagement de ne plus être obligée de faire ça ! Avec Russell, inutile de mentir. Surtout maintenant... je regarde ma main. J'étale mes doigts.

— Ellie ? Tu m'écoutes ? demande Nadine. Et pourquoi tu portes cette bague de bébé complètement ringarde ?

J'en ai le souffle coupé, comme si elle m'avait giflée. Je recule d'un pas, incapable de croire qu'elle ait pu dire une chose pareille. Nadine est mon amie. Comment peut-elle me faire tant souffrir ? Je la dévisage jusqu'à ce que son visage pâle et ses longs cheveux noirs deviennent flous.

— Ellie ? Ellie, qu'est-ce qu'il y a ? Tu pleures ? dit Nadine.

— Non, pourquoi ? je réplique alors qu'une larme roule sur ma joue.

— Oh, Ellie, qu'est-ce que j'ai dit ? demande Nadine en m'entourant de son bras.

J'essaie de me dégager mais elle me tient bien.

— Non, vas-y, raconte-moi. Je comprends pas. Pourquoi te conduis-tu brusquement comme si j'avais fait quelque chose d'épouvantable ? Tu n'es quand même pas fâchée parce que je me suis moquée de ta bague ?

— Tu as dit qu'elle était ringarde, je marmonne lamentablement.

— Mais elle est ringarde, insiste Nadine. Natacha en avait une comme la tienne qu'elle a portée pendant des jours, et son doigt est devenu tout vert. Je lui ai dit qu'elle avait attrapé la gangrène et que tout son bras allait être infecté, sauf si elle se faisait couper le doigt tout de suite. Elle a fait semblant d'avoir peur, elle est allée tout rapporter à maman en pleurant. Enfin, elle, elle faisait semblant, pas des vraies larmes, pas comme toi, Ellie.

Nadine essuie très doucement la larme qui roule sur ma joue.

— Natacha avait une bague comme la mienne ? En argent, avec un petit dessin de cœur dessus ?

— Andouille, c'est pas du vrai argent. Tu l'as pas achetée ? C'était collé sur la couverture de ce nouveau magazine pour les gosses, *Rose Cœur.*

— Non, je ne l'ai pas achetée, je chuchote. C'est Russell qui me l'a donnée.

Un moment tellement romantique. Russell est passé chez moi, hier soir. On n'est pas vraiment censés se voir le jeudi soir, seulement le vendredi et le samedi, à cause de ces saletés de devoirs, et en plus Russell est obligé de se lever horriblement tôt le matin pour distribuer ses journaux. Ses journaux. Donc, il n'est pas allé choisir ma bague exprès. Il l'a vue chez le marchand au moment où il prenait de quoi faire sa livraison et il en a récupéré une sur un exemplaire de ce magazine pour mômes.

— Russell t'a offert une bague de *Rose Cœur* ? dit Nadine.

Elle ne dit rien de plus. Inutile.

Son ton me déplaît souverainement. Elle n'a jamais vraiment aimé Russell. Je ne peux pas m'empêcher de penser qu'elle est un peu jalouse sur les bords. On dirait que Nadine se dégote toujours des types plus que bizarres qui la traitent comme de la crotte. Russell est gentil et intelligent, avec un tempérament d'artiste. Il me traite comme une personne à part entière, une véritable amie. Il n'a jamais essayé de me pousser à aller trop loin avec lui. Nadine a souvent insinué qu'elle le trouvait un peu mollasson et même suggéré que je ne lui plaisais sans doute pas vraiment. C'est pas du tout ça ! Il peut se montrer sacrément passionné ! À vrai dire, hier soir, j'ai eu du mal à ne pas me laisser entraîner trop loin quand on était tous les deux dans ma chambre.

Russell a expliqué à Anna qu'il était passé me prêter ses pastels gras pour mon projet en dessin. Bon, c'était vrai, mais quand on filé dans ma chambre, Anna était tellement occupée avec Eggs, le dîner à préparer et ses modèles de lapins à concevoir pour son fabricant de textiles, qu'elle n'a rien remarqué.

Russell et moi, on s'est assis, un peu raides, au bord de mon lit. Il m'a montré comment me servir de ses pastels gras, même si j'utilise les mêmes depuis que j'ai sept ans. Ensuite, il m'a fait quelques propositions pour ma nature morte de légumes : des poivrons rouge vif à côté d'épis de maïs jaunes avec des aubergines violet foncé pour faire contraste. Ça avait l'air très artistique, mais moi je préférais arranger les légumes pour que ça ressemble à un portrait. La tête, je pouvais la faire avec des petites pommes de terre nouvelles, les lèvres avec des piments rouges, les yeux avec deux haricots mange-tout, et les cheveux blonds en épis de maïs avec un serre-tête de jeunes carottes.

J'étais plutôt fière de cette idée originale mais Russell ne s'est pas montré très encourageant. Il m'a expliqué que jadis, des siècles auparavant, un artiste italien avait déjà fait cela. Je ferais peut-être mieux de m'en tenir à une nature morte classique, après tout. D'autant qu'Anna n'a ni mange-tout ni piments. Les seuls légumes qu'elle a dénichés, c'est des grosses pommes de terre à purée, un chou-fleur jauni, oublié au fond du frigo, et un sac de petits pois surgelés, taille familiale. Je défie même ce vieux Archi-je-ne-sais-quoi d'être inspiré par ce triste choix.

En tout cas, je n'ai pas pu m'empêcher de ressentir un certain agacement quand Russell m'a montré la façon dont il pensait que je devais arranger ma composition – mais j'avais également fortement conscience de la tiédeur de son corps à côté du mien. J'adorais l'expression concentrée de son visage, le front légèrement plissé, ses deux dents de devant posées sur sa lèvre inférieure gonflée, la douceur de pêche de sa joue... Je n'ai pas pu m'empêcher de la caresser, alors il s'est tourné vers moi et il m'a embrassée. Le carnet de croquis est tombé par terre, les pastels gras ont roulé sur le tapis, mais on n'y a pas prêté attention.

Très rapidement, nous avons abandonné la position assise. Nous nous sommes tout naturellement écroulés sur mon oreiller ; on s'est donc retrouvés dans les bras l'un de l'autre. Techniquement, nous n'étions pas couchés dans le lit, mais *sur* le lit. Ça faisait un peu bizarre avec tout mon bazar de petite fille partout et mon vieil ours en peluche renversé sur l'oreiller derrière nous. J'ai fermé les yeux et je me suis concentrée sur Russell. Mais je ne pouvais pas me boucher les oreilles, alors j'ai entendu la porte d'entrée claquer : papa était enfin rentré, très tard. Anna a crié quelque chose, Eggs a commencé à brailler, tout ça ne formait pas exactement le fond sonore le plus romantique qui soit. Après, on a entendu Eggs monter lourdement l'escalier, bing, bong, avec ses godillots de môme. On s'est brusquement séparés au cas où il déciderait de foncer droit sur la chambre.

Ce qu'il n'a pas fait, heureusement, mais papa pouvait aussi bien rappliquer à toute vitesse s'il s'apercevait que j'étais toute seule dans ma chambre avec Russell.

— Désolée ! Ma famille prend décidément beaucoup de place, ai-je dit en passant ma main dans ma chevelure indisciplinée.

— Pas de problème, Ellie, je comprends, a répondu Russell.

Il a commencé à jouer avec mes cheveux, en tirant sur une mèche pour la laisser remonter en ressort.

— C'est désespéré, ai-je dit.

— Je les aime, a répondu Russell. Je t'aime, toi, Ellie.

Il me regardait en souriant.

— Au fait ! s'est-il exclamé. J'ai un petit cadeau pour toi.

Il a sorti de sa poche un minuscule paquet enveloppé dans un mouchoir en papier rose. Aussitôt, j'ai pensé : bague. Après je me suis dit : Ne sois pas ridicule, Ellie, ça ne peut pas être quelque chose d'aussi incroyablement excitant et romantique qu'une bague alors que tu ne sors pas avec Russell depuis si longtemps que ça et qu'en plus, c'est ni ton anniversaire ni Noël. Ça va être quelque chose de gentil, mais une bricole, un chocolat en forme de cœur ou une broche *I Love U* ou un minuscule ourson porte-bonheur. Mais ce n'était rien de tout cela. C'était bien une bague, une magnifique bague en argent avec un très délicat motif de cœur.

— Oh Russell ! j'ai dit, incapable de trouver autre chose.

— Essaie-la.

Je ne savais pas sur quel doigt. Elle paraissait assez petite, alors pourquoi pas le petit doigt ? Et puis si je la mettais sur l'annulaire, Russell risquait de penser que je prenais les choses trop au sérieux et que je me conduisais presque comme s'il s'agissait de fiançailles.

— C'est à toi de me la mettre, ai-je proposé.

Russell m'a pris la main et m'a passé la bague à l'annulaire.

Cela comptait tellement pour moi. J'ai fait le vœu de ne jamais l'ôter. Mais maintenant, quand je fais glisser la bague vers ma deuxième phalange, je vois qu'en dessous la peau a pris une vilaine teinte vert-de-gris.

— Oh là là ! À toi aussi il va falloir couper le doigt, me dit Nadine très doucement.

— Bon, je m'en fiche que ce soit une bague nulle. Pour moi, elle a toujours autant de valeur puisque c'est Russell qui me l'a donnée, je dis d'un ton obstiné.

C'est vrai, mais j'avais tellement aimé l'idée de Russell prenant une partie de ses économies pour aller dans une bijouterie me choisir avec beaucoup de soin une bague. C'est complètement autre chose s'il a repéré la bague sur la couverture d'un magazine et s'il l'a simplement piquée.

— Allez, c'est super, dit Nadine. Mais que je te raconte quand même ce type. Ah bien, voilà Magda. Je vais pouvoir vous en parler à toutes les deux...

Mais Nadine s'interrompt tandis que nous contemplons Magda.

Elle a les yeux presque aussi rouges que ses cheveux teints. Ses joues ruissellent de larmes.

Es-tu pleurnicharde ?

Ellie semble avoir la larme facile : elle pleure de joie ou de tristesse.
Ses émotions ont souvent le dessus…
Et toi, penses-tu être une pleurnicharde ?

1. T'arrive-t-il de pleurer lorsque tu regardes un film triste ?

● non, mais par contre les films d'action te font un effet terrible : tu as envie de bouger, de sortir, bref, d'un peu d'action !

▲ le mieux serait de te demander s'il t'arrive de ne pas pleurer !

■ ça t'est déjà arrivé pour un ou deux films vraiment magnifiques. Mais bon, tu sais faire la part des choses, ce n'est que du cinéma !

2. Tu as passé dix jours en Angleterre dans une famille d'accueil très sympa. Lorsque tu repars, tu :

● leur promets de revenir, dès que tes finances te le permettront.

▲ pleures à chaudes larmes et espères les revoir très vite.

■ les salues et remercies mais tu n'es pas triste car heureuse de rentrer chez toi pour retrouver ta vraie famille.

3. Comme Magda, tu as un hamster. Le jour où il mourra :

● tu en voudras au monde entier : pourquoi *ton* hamster, pourquoi *aujourd'hui*… ?

▲ tu seras effondrée et refuseras d'en reprendre un juste après : personne ne le remplacera !

■ tu n'en feras pas toute une histoire et le remplaceras vite. Tu es philosophe : c'est la vie…

4. T'arrive-t-il de garder des vieilleries dont tu n'as plus l'utilité mais qui ont une valeur sentimentale ?

● quelques souvenirs importants, oui, comme le ticket de cinéma de ton premier rendez-vous amoureux.

▲ oh oui, tu conserves tout, si bien que tu ne sais plus où ranger tous ces souvenirs !

■ jamais, tu n'aimes pas t'encombrer de ce genre de choses.

5. *Ta meilleure amie a l'opportunité de partir en Chine pendant six mois, comment le vis-tu ?*

● tu leur en veux énormément, à elle et à ses parents qui la poussent à partir.

▲ c'est un drame, tu ne vas jamais survivre sans elle. Elle ne peut pas te faire ça !

■ tu es très contente pour elle, c'est une belle aventure que tout le monde n'a pas la chance de vivre... Tu l'encourages à y aller.

6. *Ton petit ami et toi venez de vous disputer :*

● tu es dans une fureur noire.

▲ tu es déprimée car tu n'aimes pas être en désaccord avec lui.

■ tu sais que ça va passer ; ça arrive dans tous les couples, ça ne t'émeut pas plus que ça.

7. *Tu viens de rater un examen :*

● tu es dégoûtée, tu avais pourtant bien révisé.

▲ c'est la cata ! Tu fonds en larmes dès que tu sors de la salle.

■ tu te rattraperas au prochain, tant pis.

8. *Aujourd'hui, rien ne se passe comme prévu : tu n'avais plus rien à te mettre, tu arrives en retard en cours, ton sac à dos se craque, on t'a piqué ta place à côté de ta meilleure amie... :*

● la journée commence très mal, tu es déjà très énervée, la prof n'a pas intérêt à te faire une remarque.

▲ tu as les larmes aux yeux, tu aurais mieux fait de rester couchée !

■ tu relativises : il ne t'est rien arrivé de dramatique, c'est juste un jour sans...

9. *Avec tes parents, quand vous vous disputez, tu finis toujours par :*

● t'emporter et partir en claquant la porte.

▲ fondre en larmes.

■ te calmer avant eux.

10. *Tu as perdu ton plus joli bracelet, celui que ta grand-mère t'avait offert pour ton dernier anniversaire :*

● tu es écœurée, tu y tenais tellement...

▲ ça te chagrine pendant plusieurs jours, il avait une valeur sentimentale inestimable.

■ ça ne sert à rien de ruminer. C'est comme ça, c'est tout, on ne peut rien y faire.

Résultats

Tu obtiens un maximum de ● :

Tu es une sanguine, une colérique quoi. Lorsque tu es contrariée, tu extériorises tes émotions par une bonne colère, parfois aux dépens de ceux qui t'entourent... Essaie de tempérer ta spontanéité car elle pourrait te jouer de mauvais tours. Le *self-control*, c'est très important ; ça évite de dire des choses qu'on regrettera une heure après... Fais du sport, ça t'aidera à contrôler tes pulsions.

Tu obtiens un maximum de ▲ :

Tu es une pleurnicharde, une vraie fontaine ! Hypersensible, tu n'arrives pas à cacher ton émotion, et plus particulièrement lorsqu'il s'agit de tristesse. Tu t'attaches très vite aux personnes comme aux choses, tu ne peux pas t'en empêcher. Cette naïveté te cause souvent de grandes déceptions. Ménage-toi en prenant un peu de recul par rapport à tout ça. L'émotivité, c'est quelque chose de positif, mais seulement si tu n'en souffres pas...

Tu obtiens un maximum de ■ :

Tu es d'humeur assez constante et tu relativises beaucoup. Tu n'es pas du genre à faire des histoires pour un objet personnel perdu ou une remarque désagréable lancée par une copine. Tu te tempères facilement et intériorises beaucoup tes émotions, tes craintes et chagrins comme tes joies. Attention à ne pas devenir un cœur de pierre et à ne pas passer pour quelqu'un d'inhumain, tu n'es quand même pas une machine...

3
Les filles pleurent
quand leur hamster meurt

Magda ne pleure jamais. Moi, je pleure – des hectolitres mêmes ! Et pas seulement quand je suis triste. Je pleure souvent en regardant des cassettes vidéo. Même les dessins animés peuvent me tirer des larmes. Il suffit que je pense à Mme Jumbo et à son petit Dumbo désespérés, qui emmêlent leurs trompes, pour sentir que j'ai les yeux qui piquent.

Je pleure quand j'ai peur, aussi. À l'école primaire, si la maîtresse me criait dessus, j'y allais tout de suite de ma larme. Maintenant, j'essaie d'être un peu moins nulle, mais je déteste toujours que les gens me parlent méchamment.

Les trucs sentimentaux, ça me fait pleurer

aussi : les petits chatons, les bébés, les jeunes choristes qui chantent en solo. Nadine méprise ma bêtise. Elle déteste tout ce qui est petit, mignon et attendrissant. N'empêche, elle n'est pas mauvaise dans les sanglots quand elle veut. Le jour où elle a rompu pour de bon avec Liam, elle a braillé pendant des heures d'affilée. Elle s'est enfermée dans sa chambre peinte en noir pour verser des torrents de larmes en écoutant toutes ces chansons tristes sur les ruptures.

Mais Magda est toujours tellement pétillante et tonique. Le cafard, c'est pas son genre. D'autant qu'elle n'a aucune envie de faire couler son mascara. Magda se maquille tous les jours, même au collège (alors qu'on n'a pas le droit). Magda, c'est le genre de fille à continuer à se coiffer et à se maquiller même si la sirène d'incendie retentit et que les flammes lèchent déjà la porte.

Aujourd'hui, elle n'a pas le moindre maquillage. On dirait même qu'elle n'a pas brossé ses boucles écarlates.

J'oublie Russell et sa bague.

Nadine oublie son nouveau « mec merveilleux ».

On se précipite vers Magda. J'entoure sa taille de mon bras. Nadine lui tapote doucement le dos.

— Qu'est-ce qu'il y a, Magda ?

— Allez, Magda, raconte-nous.

— Je l'ai tuée ! hurle Magda.

Elle pose sa tête ébouriffée sur mon épaule et se met à sangloter.

Nadine et moi, on se regarde, bouche bée.

— Qui as-tu tué, Mags ? demande Nadine.

Nadine elle-même passe son temps à menacer de tuer des gens. Les membres de sa famille sont spécialement visés. Sa petite sœur Natacha est sa victime préférée, mais quand elle est d'humeur tueuse en série, elle marmonne sombrement contre sa mère, son père, sa grand-mère et même ses tantes. Mais Magda n'a jamais manifesté la moindre tendance meurtrière.

— Ma petite Caramelle chérie ! gémit Magda.

Caramelle ? Quels caramels ? J'imagine Magda en train d'écraser des caramels à coups de marteau... et puis je comprends. Caramelle, c'est son hamster. Une femelle. Au début de l'année dernière, Magda est sortie avec un garçon qui s'appelait Greg. Il était passionné par l'élevage des hamsters, en fait de tous les rongeurs : souris, rats blancs, gerbilles, toutes ces bestioles excitées avec des moustaches. D'après Magda, sa chambre ressemblait à la ville d'Hamelin avant l'arrivée du Joueur de flûte. Quand le hamster préféré de

Greg, Miel, a eu des petits, il en a offert un à Magda. C'était Caramelle. Pendant quelques jours, Magda a été obsédée par sa nouvelle amie à poils. À Nadine et moi, elle racontait en détail ce que mangeait Caramelle, comment se lavait Caramelle, où dormait Caramelle... Caramelle dormait d'ailleurs énormément. Magda n'avait pas compris que les hamsters sont des animaux fondamentalement nocturnes. Elle croyait que Caramelle allait se redresser, l'œil vif et la queue ébouriffée, prête à apprendre de nouveaux trucs. Magda espérait que Caramelle apprendrait à réclamer, à tendre la patte, ou encore à se nettoyer les moustaches. Mais Caramelle ne s'intéressait pas du tout aux efforts de Magda. Elle s'enfonçait dans les profondeurs de son tunnel fait d'un rouleau de papier toilette et elle se planquait là, refusant absolument de coopérer.

Ça n'a pas pris longtemps pour que Magda se lasse. Elle a perdu tout espoir que Caramelle devienne un jour une star chez les hamsters. Elle a cessé d'en parler. J'avais même totalement oublié qu'elle avait un hamster.

— Je vous raconte, continue Magda. L'autre jour, j'étais assise à côté de Greg dans l'autobus et il s'est remis à me baratiner. Je me suis demandé si je n'allais pas ressortir avec lui. Je sais qu'il n'a rien d'exceptionnel...

— Tu peux répéter ça, l'interrompt Nadine en levant au ciel ses yeux soulignés de kôhl (elle aussi, elle ignore le règlement concernant le maquillage au collège).

— Oui, mais en ce moment, je ne croule vraiment pas sous les occasions intéressantes, dit Magda en reniflant.

— Moi oui ! s'exclame Nadine. Écoute, Mags, j'étais justement en train d'en parler à Ellie, j'ai rencontré un type incroyable. Enfin, je l'ai pas vraiment rencontré, mais...

Mais soudain Magda se remet à sangloter tellement fort que Nadine se retrouve presque noyée.

— Greg m'a demandé comment allait Caramelle. Je lui ai dit qu'elle ne faisait rien du tout. Greg a été très choqué. J'ai eu l'impression d'être méchante en montrant si peu de compréhension à l'égard de cette pauvre petite Caramelle. Je l'abandonnais toute seule dans sa cage, sans amour. D'autant que c'est pas une cage très intéressante. Y en a qui ont plusieurs niveaux avec des toboggans, des tunnels et je ne sais quoi, de vraies aires de jeux pour hamsters, mais celle de Caramelle était un modèle de base et la pauvre était là depuis des mois, toute seule abandonnée ! Imagine dans quel état on serait, nous ! Alors Greg a proposé de lui offrir un minimum de vie sociale. Il a amené un hamster mâle, tout à fait timide et charmant. Il ne voulait pas d'un animal trop macho pour ne pas inquiéter Caramelle, puisqu'elle était encore vierge. Il a dit que, s'ils s'entendaient bien, ils pourraient se mettre ensemble pour que Caramelle ait des petits. Mais tout s'est très mal passé.

Nous avons décidé de les présenter en territoire neutre ; on a donc sorti Caramelle de sa cage et je me suis agenouillée avec elle par terre dans ma chambre pendant que Greg prenait dans sa poche le petit hamster mâle, et... et...

— Et il a détesté Caramelle dès qu'il l'a vue et il l'a attaquée sauvagement ? propose Nadine avec un certain agacement.

— Non, non, ils se sont bien plu. Leurs petits nez n'arrêtaient pas de se plisser. On voyait presque un Cupidon hamster en train de voler au-dessus d'eux et de leur décocher une flèche droit dans leurs poitrines velues avec des arcs miniatures. C'était tellement mignon. Greg et moi, on était à genoux et on se sentait comme des parents fiers de leur progéniture. Comme s'il y avait vraiment de l'amour dans l'air ! Bon, j'avoue que j'ai pris la main de Greg, mais c'était de façon tout à fait amicale. Après il m'a embrassée. Eh bien, il a fait des progrès en la matière. Il est nettement plus subtil. Avant, il collait ses lèvres contre les miennes et il faisait ventouse, genre aspirateur...

Nous éclatons de rire, même Magda qui a pourtant encore les yeux brillants de larmes.

— Et alors ? reprend Nadine. T'étais tellement enthousiaste que tu t'es allongée et que tu as écrasé la petite Caramelle et son copain à poils comme des crêpes ?

— Faut-il toujours que tu sois aussi ignoble, Nadine ? dit Magda. Non ! Mais c'est pas mieux. Comme je vous disais, on était vraiment en pleine action, Greg et moi...

— Vous l'avez pas fait, quand même ? j'interromps.

Nadine cesse de gigoter et scrute Magda.

— Tu l'as fait, Magda ?

— Bien sûr que non, espèces d'idiotes ! Qu'est-ce que vous croyez, que je suis folle ? Greg est toujours un petit morveux de collégien, même s'il embrasse bien. Je veux que la première fois, ce soit vraiment vraiment exceptionnel, avec quelqu'un qui saura rendre ça romantique et beau, quelqu'un qui m'aimera...

Ça ne tombe pas dans l'oreille d'une sourde.

— Quelqu'un d'adulte et de responsable, achève Magda.

J'acquiesce en soupirant.

Revenons à nos moutons. Ou plutôt à nos hamsters. À cette romance entre deux jeunes rongeurs tout à fait irresponsables – une romance très brève, manifestement.

— Quand j'ai finalement repoussé Greg, j'ai regardé autour de moi pour voir comment se débrouillait la petite Caramelle, mais elle n'était plus là. Le mâle de Greg était là, l'air un peu sournois, comme s'il avait réussi son coup et qu'il avait envie d'aller retrouver ses potes pour se vanter.

Caramelle avait disparu.

Greg et moi, on a cavalé partout dans la chambre à quatre pattes, en l'appelant. Greg s'est même faufilé sous le lit et en est ressorti avec une culotte rose que j'avais perdue depuis des siècles. C'est moi qui suis devenue rose de confusion. Mais pas trace de Caramelle. Je me suis aperçue que la porte de ma chambre était entrouverte et là j'ai eu un pincement au cœur.

Greg a remis son hamster dans sa poche et on est partis à la recherche de Caramelle, sur le palier, dans la chambre de papa et maman, dans les chambres de mes frères. Pas une expérience très réjouissante : elles sont pleines de saloperies et elles puent. Je me demande ce qu'on aurait trouvé sous leurs lits ! Après, on est arrivés en haut de l'escalier, j'ai regardé en bas, et...

— Oh non ! je dis.

— Si, sanglote Magda. Tout en bas, il y avait un petit paquet de fourrure.

— Caramelle s'est peut-être prise pour un lemming. Ils se jettent bien du haut des falaises, non ? dit Nadine.

— Ferme-la, Nadine, je dis en berçant Magda.

— Je ne crois pas qu'elle ait fait exprès. Elle a pas vu, c'est tout. Elle se baladait sur le palier, peut-être un peu dans le potage puisqu'elle venait de connaître sa première relation, elle se demandait s'il allait la rappeler ou si c'était juste une fois en passant. Puis brusquement, elle ne sent plus le tapis sous ses pattes et elle commence à dégringoler de plus en plus bas. J'avais l'espoir fou qu'elle était encore en vie, mais quand je l'ai prise dans mes mains, sa pauvre petite tête pendait et il était évident qu'elle s'était cassé le cou.

— Au moins, ç'a été une fin rapide, je dis.

— Qu'est-ce que tu as fait de son corps ? demande Nadine avec intérêt.

— Nadine ! je crie.

Je sais qu'elle est comme ça, mais parfois elle est vraiment trop morbide.

— Je l'ai mise dans ma plus belle boîte à chaussures, répond gravement Magda. Je me suis dit que je l'enterrerais dans le jardin aujourd'hui.

— Génial ! Alors on va organiser un enterrement après les cours, d'accord ? propose Nadine. On va s'habiller en noir, je vais composer un requiem triste pour hamster, tu liras un poème à la mémoire de Caramelle et on peindra la boîte à chaussures pour qu'elle ressemble à un cercueil. Ellie, tu feras un portrait qu'on glissera dans une pochette plastique et qu'on plantera sur la tombe de Caramelle.

Voilà un projet qui console Magda.

— On pourrait préparer des plats funéraires, même si je sais pas ce que c'est. De la nourriture noire ! Un gâteau au chocolat 99 % de cacao parce qu'il est presque noir, un gâteau au fromage aux cerises noires. Et on pourrait boire une flûte de Coca à la mémoire de cette pauvre petite Caramelle, je propose.

Puis je me souviens.

— Oh zut ! je reprends. Je ne peux pas. Je vois Russell.

— On peut faire l'enterrement juste après les cours, dit Nadine.

— Non, il vient me chercher au collège. Je vais chez lui.

— Ellie, tu peux faire ça n'importe quand. Alors que l'enterrement de Caramelle, c'est aujourd'hui impérativement, avant qu'elle commence à se décomposer, insiste Nadine.

Magda pousse un petit gémissement.

— Écoute, tu vois bien que tu contraries Magda, reprend Nadine. Les copines, ça passe pas avant les garçons ? C'est ce que tu nous serines à longueur de temps.

— Avec Russell, c'est pas pareil. C'est pas n'importe quel mec. Ça devient sérieux, je déclare en sentant mes joues s'empourprer, les yeux baissés sur ma bague.

Magda remarque enfin.

— Russell t'a offert une bague, Ellie ? demande-t-elle en s'étranglant à moitié.

— Ouais, récupérée dans un journal pour les mômes, ajoute Nadine perfidement.

— Je m'en fiche de l'endroit où il l'a trouvée. C'est le sentiment qui compte, je réplique d'un air hautain. Ma bague me plaît davantage que le plus gros diamant du monde.

Je la fais tourner avec fierté autour de mon doigt, en essayant de masquer la marque verte, qui est vraiment laide.

Je ne peux m'empêcher de penser que Nadine est elle-même carrément verte de jalousie. Sans doute parce que son histoire avec Liam n'a pas duré. Russell et moi, nous nous aimons. Nous allons rester ensemble éternellement.

4
Les filles pleurent quand elles détestent la tête qu'elles ont

Russell m'attend devant le collège. Je le repère à l'instant même où Magda, Nadine et moi posons le pied dans la cour. Il fait un grand signe et je lui réponds timidement. Il y a plein de filles qui nous observent. Je me sens bête avec tous ces regards, mais assez fière aussi. Je n'en reviens pas d'avoir vraiment un petit ami qui vient me chercher. D'autant qu'il ne manque pas d'allure, même dans son uniforme scolaire.

Dans le mien, je me sens spécialement immonde. En dépit de mes efforts pour avoir l'air à l'aise, mon pull-over est couvert de peinture, ma jupe est toute tirebouchonnée et mes chaussures pleines de boue parce que j'ai voulu couper à travers le terrain de sports pour arriver plus vite au local d'arts appliqués. Et ce matin, impossible de trouver un collant qui ne soit pas filé, alors j'ai fini par enfiler des chaussettes de bébé qui me dégringolent sur les chevilles.

Plein de filles de mon âge regardent Russell, elles l'examinent de haut en bas, manifestement impressionnées. Magda et Nadine, elles, ne sont pas du tout impressionnées.

— Pourquoi tu ne l'envoies pas chez le coiffeur, Ellie ? Le genre cheveux-dans-les-yeux, c'est carrément dépassé ! remarque Magda sans amabilité.

— T'es sûre qu'il est vraiment en seconde ? Il a l'air beaucoup plus jeune, déclare Nadine. Moi, sortir avec un collégien, ça me rassurerait pas.

Je sais qu'elles s'amusent à se moquer de moi. Elles ne sont pas vraiment sérieuses. Mais ça m'énerve quand même.

— Je trouve que Russell a des cheveux magnifiques. Je ne voudrais pas qu'il les coupe, pour rien au monde. Et en plus, on lui donne au moins seize ans. Quel âge il a, ce nouveau mec tellement merveilleux que tu viens de rencontrer, Nadine ?

— Quel nouveau mec ? demande Magda.

Nadine prend l'air mystérieux et se tapote le nez.

— Ah ! Brusquement, vous voulez tout savoir. Eh bien... il a dix-neuf ans !

— Oh, Naddie ! Ça t'a pas suffi avec Liam ? je marmonne.

— Ellis n'a rien d'un pauvre minable comme Liam, réplique Nadine.

— Ellis ?

— Oui. Ellis Travers. Sympa comme nom, vous trouvez pas ?

— Alors pourquoi le supercool Ellis âgé de dix-neuf ans a-t-il envie de sortir avec une collégienne de quatrième ? je demande. Comme si on pouvait pas deviner !

— Devine tout ce que tu veux, Ellie, je m'en fiche !

Moi, je ne m'en fiche pas. Russell me regarde, les sourcils froncés, en m'appelant à grand renfort de gestes. Manifestement, il se demande pourquoi je ne cours pas directement vers lui. Mais j'estime que je dois découvrir la vérité sur ce nouveau mec de Nadine. Elle est tellement exaspérante. Pourquoi se conduit-elle ainsi ?

— Il a vraiment dix-neuf ans, Nad ? demande Magda.

Je vois bien qu'elle aussi est énervée. Elle est la plus jolie, alors pourquoi n'est-ce pas devant elle que tous ces types viennent se prosterner ? Tout ce à quoi elle a droit, c'est à une relation intermittente avec Greg, alors que moi j'ai un vrai petit copain et que maintenant Nadine vient de se trouver un amoureux de dix-neuf ans...

— Il n'a jamais que cinq ans de plus que moi. Pas de quoi en faire un drame, répond Nadine d'un air désinvolte.

Ça me défrise que Nadine et Magda aient déjà quatorze ans. Moi j'en ai encore que treize, et ça fait sacrément plus jeune. Et, avec mon uniforme scolaire, je sais que j'ai l'air d'avoir douze ans, pas un jour de plus.

— Ellie !

Russell crie maintenant. Il faut que j'y aille. Mais Nadine va chez Magda pour l'enterrement de Caramelle. Elle va tout lui raconter sur cet Ellis. Je ne supporte pas que Nadine et Magda se racontent des secrets dont je suis exclue.

Je reste plantée là, indécise. Russell me décoche un dernier regard, plein de colère. Il saute du muret, prêt à s'en aller. Il va falloir courir pour le rattraper. J'embrasse Magda à la hâte pour m'excuser de ne pas assister à la cérémonie. J'embrasse aussi Nadine, histoire de lui rappeler que nous sommes sœurs de sang depuis le jardin d'enfants et que je nous avais barbouillé les poignets de colorant Smartie rouge, comme si c'était du sang, et que donc, je ne veux surtout rien rater quand elle va raconter toute l'histoire sur cet Ellis.

Ellis ! Je trouvais déjà Russell un nom assez chic dans le genre. À propos de chic, rencontrer le père de Russell, ça m'intimide un peu. Ils vivent de l'autre côté de la ville. Le côté riche. Ces maisons valent une fortune. D'accord, Russell, son père et Cynthia, la petite amie de son père, ne vivent que dans un appartement au rez-de-chaussée, mais c'est quand même génial.

Russell ne se retourne même pas quand je l'appelle. Je suis obligée de cavaler comme une folle avec mes grosses godasses pour le rattraper.

— Eh, Russell, attends ! Qu'est-ce qui te prend ?

Me voilà suspendue à son bras pour qu'il veuille bien s'arrêter.

— Oh, Ellie ! Ça alors ! Je suis redevenu visible ? me répond-il, sarcastique à mort.

— Qu'est-ce que tu racontes ? Pourquoi tu as filé comme ça, sans moi ? On va chez toi, non ?

— C'était ce que je croyais... mais tu avais l'air d'avoir nettement plus envie de traîner avec tes copines, vu que ça fait une demi-heure que vous bavardez ensemble.

— Une demi-heure ! Sois pas idiot ! Une demi-minute, plutôt !

— Mais tu peux jacasser avec elles toute la journée au collège !

— On ne jacasse pas. Écoute, Russell, ce sont mes amies.

— Je ne vois pas ce que tu leur trouves. Cette Nadine, je la vois bien la tête en bas pendue dans une grotte à chauves-souris... et quant à Magda !

— Qu'est-ce qu'elle a, Magda ? je demande sèchement.

— Elle est tellement prévisible ! Tout ce maquillage, ces...

Russell fait un geste circulaire à la hauteur de sa propre poitrine.

— Aujourd'hui, elle n'était absolument pas maquillée, et quant à sa silhouette, elle n'y peut pas grand-chose, espèce d'andouille. J'aimerais bien ressembler à Magda.

— Et moi, je suis content que tu ne lui ressembles pas. Je t'aime comme tu es, Ellie, déclare Russell en me regardant enfin pour de bon. Tu portes toujours ma bague ? ajoute-t-il doucement en jetant un œil sur ma main.

— Bien sûr. Je ne l'enlèverai jamais.

Je ne peux pas lui balancer l'histoire du magazine de mômes. De toute façon, ça n'a pas d'importance. Même si elle était en papier alu, ça me serait encore égal. J'aime cette bague parce que j'aime Russell. Quel bonheur qu'il ne soit plus fâché. Il me prend par les épaules et il me donne un petit baiser sur la joue. Des sixièmes idiotes passent en gloussant et en sifflant, mais j'essaie de les ignorer, même si je deviens rouge comme une tomate !

— Tu as un teint ravissant, déclare Russell. J'adore tes joues roses.

Le monde entier vire au rose. Ça ne déplaît pas à Russell que je rougisse comme une idiote. Ça lui plaît même. Je n'ai pas une jolie peau. De vilains petits boutons sortent partout, et j'ai le nez tellement luisant qu'on pourrait s'en servir de miroir, même si je l'ai poudré vite fait dans les vestiaires (sans compter une ration supplémentaire de déodorant, un petit coup de brosse dans les cheveux et un petit rinçage de bouche).

Nous avançons d'un même pas, Russell me tient toujours par les épaules. Je me cale confortablement sous son bras.

— Tu es tellement petite, Ellie ! dit-il en me serrant contre lui.

J'adore qu'on me dise que je suis petite. Du coup, je me sens toute mignonne et délicate plutôt que d'avoir l'impression d'être une naine épaisse. J'adore, j'adore avoir Russell comme petit ami. Ça fait des semaines et des semaines qu'on sort ensemble, et pourtant j'arrive pas encore à croire à ma chance. Je tripote ma bague. Peut-être qu'on va continuer à sortir ensemble pendant des mois et des mois, des années et des années, et un jour on changera cette bague pour une vraie. Je n'ai jamais ressenti une chose pareille avant, jamais jamais. Russell n'est pas vraiment mon premier petit ami, mais cette espèce d'abruti de Dan ne compte pas. Nous n'avons jamais été rien de plus que des copains. On s'est bien embrassés un peu, mais sans plus. Bien sûr, on a eu quelques fous rires ensemble, mais je n'ai jamais ressenti ce tourbillon de bonheur qui me donne le vertige. Mes lèvres ne peuvent s'empêcher de sourire et dans ma tête, je chante le nom de Russell à chacun de mes pas.

Il est mon âme sœur, ma deuxième moitié. Jusqu'à présent, je ne m'étais jamais rendu compte à quel point j'étais solitaire. Depuis que ma mère est morte, j'ai toujours senti un vide à l'intérieur de moi. J'ai papa, évidemment, et je l'adore. Anna aussi, je l'adore. Et même Eggs. Mais c'est pas pareil. J'ai Nadine et Magda, et elles seront toujours toujours mes meilleures copines, mais c'est pas la même chose qu'un petit ami. Ensemble, on passe des moments d'enfer, mais si Nadine pose son bras sur mon épaule, ça ne me fait pas battre le cœur, et si j'entends la voix de Magda, le rythme de mon pouls ne s'accélère pas. Je les aime toutes les deux, mais je ne suis pas amoureuse d'elles.

Je comprends bien que Russell en ait marre que je passe autant de temps avec elles. Mais il lui suffit de me regarder pour comprendre que c'est à lui que revient la première place. La première, la dernière et toutes les places intermédiaires.

Je me blottis davantage contre lui et il m'embrasse le sommet du crâne.

— Pardon d'avoir été aussi désagréable avec toi, Ellie, chuchote-t-il.

— Pardon de t'avoir fait attendre, je réponds.

— Viens, on va chez moi, dit Russell en me serrant contre lui. Dad et Cyn sont encore au travail, on devrait avoir la maison pour nous tout seuls pendant une bonne heure.

J'ai le cœur qui bat de plus en plus fort.

Es-tu de nature jalouse ?

Russell est jaloux du temps que passe Ellie avec ses amies. Et la jalousie, c'est un réel problème car parfois elle peut avoir des conséquences désastreuses… Es-tu l'une des victimes de ce péché capital ?

1. Ton frère a toujours plus d'argent à son anniversaire que toi :

● y'a pas de raison ! Tu réclames auprès de tes parents.

▲ tes parents ont sûrement une bonne raison d'agir comme ils le font.

■ c'est normal, il est plus grand.

2. Ta meilleure amie semble passer beaucoup de temps avec une autre fille :

● tu es verte de jalousie.

▲ ça ne te plaît pas des masses, mais elle est libre.

■ tu n'y prêtes pas attention, elle a le droit d'avoir d'autres amies.

3. Lorsque tu regardes des émissions musicales avec des chanteuses :

● tu les envies. C'est pas normal, toi aussi tu sais chanter !

▲ tu les admires, elles ont un don !

■ quand on voit tout ce qu'elles doivent endurer pour en arriver là… Tu préfères ta vie.

4. Il y a une nouvelle dans ton cours de danse, et la prof n'a d'yeux que pour elle :

● tu te places systématiquement devant elle, en plein milieu.

▲ tu fais en sorte de te faire remarquer et essaies de devenir sa copine.

■ ça t'est complètement égal, tu es là pour te faire plaisir.

5. Ta mère est si belle que tous tes copains la prennent pour ta sœur !

● ça t'agace fortement, tu as l'air de quoi à côté d'elle ?

▲ ça te flatte d'avoir une maman qui se fasse autant remarquer.

■ tu n'y prêtes guère attention, ce n'est que ta mère.

6. *Toutes tes copines partent en vacances cet été, mais pas toi car tes parents ont eu de grosses dépenses :*

● c'est dégoûtant ! Tu ne comprends pas le choix de tes parents.

▲ tu te trouves un petit boulot pour mettre de l'argent de côté, histoire de pouvoir partir plus tard.

■ il y a plein de choses dans ton quartier, pas besoin d'aller bien loin...

7. *Ça fait une heure que ta sœur squatte la salle de bains :*

● tu commences à hurler tous ses petits secrets bien fort pour qu'elle se décide enfin à sortir.

▲ c'est toujours comme ça, tu vas te plaindre auprès de ta mère.

■ tant pis, tu pars en cours sans être maquillée, au naturel !

8. *Lors d'un exposé avec un copain, c'est lui que le prof remarque le plus :*

● tu ne laisses pas passer ça : tu leur coupes la parole dès que tu le peux.

▲ ça t'ennuie mais tu ne veux pas désavantager ton copain et ne dis rien.

■ tu t'en moques, il sait que vous avez travaillé à deux.

9. *Tes copines ont le droit d'aller en boîte et pas toi :*

● tu harcèles tes parents en leur citant plein d'exemples. Tu en as marre qu'elles racontent leurs histoires et te sens mise à l'écart.

▲ tu tentes régulièrement de les convaincre du bienfait que cela aurait sur toi.

■ tu penses qu'ils font ça pour ton bien et attends patiemment l'âge déterminé.

10. *Les héroïnes de romans sont fascinantes :*

● tu vis par procuration, c'est facile d'être comblée quand on vit dans le monde des livres !

▲ tu t'identifies beaucoup à elles, comme tout le monde.

■ tu n'es pas du genre à te prendre pour ce que tu n'es pas et mets une réelle frontière entre la réalité et l'imaginaire.

Résultats

Tu obtiens un maximum de ● :

Tu es très jalouse. Égocentrique, tu ne supportes pas de ne pas être la personne qui réussit le mieux, celle à qui la vie sourit et qui obtient tout ce qu'elle désire. Ce péché capital te ronge et te fait beaucoup souffrir car, à cause de ce sentiment, tu en viens à détester des personnes proches dès qu'elles ont mieux que toi, et tu es prête à tout pour détruire leur bonheur. Aussi, comment tes amis pourraient-ils te faire confiance ?

Tu obtiens un maximum de ▲ :

Tu es jalouse mais pas de façon maladive. Voir les autres réussir te fait plaisir mais te ramène aussi à ta situation et aux injustices que la vie te fait parfois subir... Tu n'envies pas systématiquement les autres, tu te sens juste un peu rabaissée par moments. Allez, patience, la roue finit toujours par tourner !

Tu obtiens un maximum de ■ :

Tu n'es pas jalouse : ce que les autres ont, ils le méritent et tu ne souhaites pas particulièrement être à leur place. Tu es plutôt satisfaite de ta vie et n'envies pas les autres, car tu sais que bien qu'ils aient certains avantages, ils ont eux aussi des problèmes et ne sont pas forcément heureux.

5
Les filles pleurent quand
les autres copient leurs idées

L'appartement de Russell est magnifique. Il est tellement grand que notre maison tout entière pourrait tenir dedans. Il est absolument parfait. Il y a d'immenses canapés crème sans la moindre tache, des cristaux de Bohême disposés en ordre sur des étagères, et même les magazines luxueux sur la table basse sont arrangés selon une précision géométrique. Si le père de Russell et sa copine Cynthia ont un jour des enfants, ils ne savent pas le choc qui les attend. Si on laissait Eggs en liberté dans cette pièce pendant dix minutes, nul ne sait le souk qu'il réussirait à planter.

— C'est magnifique, je dis poliment en posant mon vieux sac crade sur le tapis trop clair.

— C'est ennuyeux, on dirait une exposition de meubles, réplique Russell. Ça n'a rien d'une maison.

L'espace d'un instant, il n'est plus mon petit ami, celui qui a deux ans de plus que moi. Il ressemble soudain à un gamin abandonné, la tête penchée en avant, les cheveux dans les yeux. Je m'avance vers lui et je le prends dans mes bras. Je veux seulement le consoler, lui montrer que je sais ce que c'est d'être obligé de supporter la petite amie de son père.

Il interprète autrement mon geste. Il me prend par la taille, il me serre contre lui et il se met à m'embrasser. Il me caresse les cheveux, il m'attrape l'oreille et très doucement il en mordille le lobe et puis il se met à m'embrasser dans le cou, à cet endroit, très sensible au creux de l'épaule. Ses doigts commencent à déboutonner lentement ma chemise...

— Non ! Ne fais pas ça, Russell. Ne fais pas ça, je t'en prie.

C'est absolument délicieux, mais j'ai un peu la trouille. Je ne veux pas aller trop loin. Et si le père de Russell ou Cynthia rentrait de bonne heure et nous découvrait en train de nous ébattre sur leur splendide canapé crème ?

— On n'a qu'à aller dans ma chambre, chuchote Russell dans mon oreille.

— Non ! Écoute, je te l'ai déjà dit... je ne veux pas.

— Mais si, tu veux, réplique Russell.

— Oui, d'accord, j'en ai envie... mais j'y vais pas quand même.

— Même si on s'aime ? insiste Russell en prenant ma main et en embrassant l'anneau sur mon doigt.

— Même, je réponds en me tortillant pour lui échapper.

J'essaie de lisser mes vêtements et de me reprendre, mais j'ai très chaud, je tremble et je l'aime tellement que je n'ai pas la moindre envie d'être raisonnable...

Je vais dans sa chambre. Juste parce que j'ai envie de savoir à quoi elle ressemble. Un endroit incroyable, pas le moindre désordre, pas de vieilles chaussettes, pas de magazines ringards ni de restes de goûters desséchés. La chambre de Russell est superchic et supermode, avec des stores crème, un tapis marron foncé, une guitare et un poster représentant un chanteur de *soul*. Il a une table à dessin géniale, avec un tabouret blanc et un spot ; dessus, des tubes de peinture, des pastels, des crayons de couleur, une pile de carnets de croquis et de cahiers à dessin et plusieurs croquis d'un petit éléphant de BD tout mignon. C'est une variante de mon Ellie-l'Éléphant à moi, que je dessine sur toutes mes affaires de classe et que je griffonne à côté de mon nom quand j'écris des lettres.

— C'est mon Ellie-l'Éléphant !

— Enfin, disons que c'est un éléphant ! corrige Russell.

Un prospectus rose est attaché à l'un des dessins avec un trombone. Je jette un coup d'œil dessus, bien que Russell tente de m'en éloigner, en soulevant mes cheveux pour m'embrasser dans le cou avec passion. Il s'agit d'un concours de dessin destiné aux enfants, mais il y a également une section ados. On doit inventer son propre personnage de BD. Le gagnant se verra offrir l'animation de son personnage et le dessin animé passera peut-être même à la télé. Et Nicola Sharp fait partie du jury ! Depuis toujours, c'est mon illustratrice préférée – j'adore ses livres *Funky Fairy*.

— Waouh, Russell ! Pourquoi ne m'as-tu pas parlé de ce concours ? Je veux y participer.

— C'est trop tard, Ellie. La date est dépassée. J'ai déjà envoyé mon dessin.

— Alors, quel personnage as-tu inventé ?

— Eh bien, ça se voit…, dit Russell en montrant les petits éléphants.

— Mais c'est mon personnage ! je m'exclame.

— Non, pas du tout. Tu dessines ton Ellie-l'Éléphant avec de plus grandes oreilles, tu ne lui fais pas la trompe si plissée, et son expression est totalement différente.

— Pas vraiment. Regarde, c'est exactement comme ça que je la dessine quand elle est heureuse, la patte en l'air et la trompe levée, je réplique en tapant du doigt sur son carnet de croquis.

— Hé ! c'est l'air qu'ont tous les éléphants quand ils sont contents, réplique Russell en me tapotant doucement le nez. Ne te fâche pas, Ellie. Tu n'es pas propriétaire de tous les éléphants de BD.

Il essaie de m'embrasser et je finis par répondre, mais avec beaucoup moins d'enthousiasme que tout à l'heure. Il m'a volé mon Ellie-l'Éléphant. Elle est à moi. J'ai l'impression d'être un bébé à qui quelqu'un vient de voler sa peluche préférée. Je sais que je suis puérile mais je me sens au bord des larmes. En plus, c'est tellement sournois de sa part de ne pas avoir parlé de ce concours. On aurait pu participer ensemble. Mais maintenant, c'est râpé. Tant pis, je vais quand même envoyer quelque chose. Et je ne montrerai rien à Russell. Je ne vais même pas lui en parler. Russell s'efforce de me faire m'allonger sur le lit avec lui mais je ne suis plus d'humeur. À son tour d'être un peu fâché. N'empêche, ça lui plaît bien quand j'examine de près tous les livres de sa bibliothèque. Il a plein de livres d'art, ainsi que des *Harry Potter* et des Philip Pullman lus et relus, *Le Seigneur des anneaux,* plusieurs Stephen King, des Irvine Welsh et des Will Self, mais aussi de vieux albums tout abîmés. En fouinant dans son placard, je découvre plusieurs peluches qui ont vécu et une petite armée de soldats planquée dans le donjon de son tiroir à pull-overs.

Quand Cynthia rentre de son travail, nous sommes plongés dans un jeu de stratégie compliqué, les soldats étalés partout sur le tapis. Je la trouve jolie, très séduisante, même si elle se la joue un peu avec ses cheveux roux, son tailleur crème très chic et tous ses bijoux en or. Elle fait beaucoup d'efforts, elle nous prépare du café avec des brownies, elle pose des tas de questions, elle essaie d'animer la conversation. Je lui réponds de mon mieux, mais Russell se contente de marmonner dans sa barbe.

Je me demande si j'étais aussi odieuse quand

Anna est venue vivre avec papa. J'étais peut-être même pire. Ça a dû être l'enfer pour elle, d'autant qu'elle était encore étudiante. Je vais essayer d'aider davantage Anna. Elle travaille d'arrache-pied pour ses tricots et papa se comporte comme le mâle classique, à râler, à protester et à se conduire encore plus mal qu'Eggs.

Tout en pensant à ma famille, je bavarde avec Cynthia et je l'aide à préparer le dîner. Russell a l'air fâché, il veut que je joue avec lui sur son ordinateur. Il dit qu'il va m'apprendre à me servir d'un logiciel de dessin. Il veut toujours m'apprendre des trucs. S'il sait tout, pourquoi donc m'a-t-il volé mon Ellie-l'Éléphant ?

Non, là je suis mesquine. Comme si ça avait une quelconque importance. Tout ce qui compte, c'est que j'aime Russell et qu'il m'aime. Quand il m'appelle du salon pour la troisième fois, je me lève pour le rejoindre, tout en faisant une mimique expressive à Cynthia.

— Mieux vaut que j'aille voir ce qu'il veut, je dis d'un ton d'excuse.

— Vas-y, répond-elle avec un sourire désabusé. Ils claquent des doigts et nous, on est assez bêtes pour rappliquer.

D'ailleurs, quand le père de Russell rentre, on voit tout de suite qui porte la culotte dans leur couple. Cynthia est tout charme et se conduit en femme soumise, mais elle réussit quand même à imposer le vin dont elle a envie, l'émission de télé qu'elle veut regarder, et c'est lui qui reprend la préparation du dîner en main.

Je suis fascinée. Je me demande si Russell finira comme son père. En tout cas, ils se ressemblent. Brian, le père de Russell, a les mêmes cheveux blonds et souples, le même regard direct, la même allure, la même démarche – il est juste un peu plus ridé, il a la mâchoire plus large et il pèse dix kilos de plus.

Brian m'appelle dans la cuisine et me pose tout un tas de questions ; il rit, il plaisante, il flirte presque avec moi, ce qui me paraît un peu bizarre. Ça ne fait pas très plaisir à Russell non plus et il vient me récupérer. Brian prend son temps pour préparer le dîner, mais quand on se met enfin à table, c'est absolument somptueux. On commence par des figues fraîches et du jambon de Parme, ensuite vient un grand plat de pâtes avec des fruits de mer et enfin une vraie crème brûlée pour le dessert. Il arrive que mon père nous fasse à dîner, mais sa spécialité, c'est les spaghettis bolognaise de base. Se lancer dans les fantaisies, c'est pas son truc.

Il y a aussi du vin, et on m'en verse un verre ! D'accord, pas un très grand verre, mais ça me plaît d'y avoir droit. Un vrai repas d'adultes. À la maison, nos repas ne ressemblent pas du tout à ça, surtout parce que Eggs passe son temps à brailler la bouche pleine, ou à avaler bruyamment son jus d'orange ou à agiter ses couverts dans tous les sens et à envoyer de la nourriture partout. Nous, on n'a pas de vraie conversation, alors que Brian et Russell se lancent dans une longue discussion à propos de la politique. Je me sens plutôt inquiète. Il me semble que je devrais intervenir, mais pour être franche, je ne connais absolument rien à la politique. Bien sûr, je suis pour la protection de l'environnement et des baleines et de tout ce qu'on voudra, évidemment, je suis pour la paix dans le monde et le respect de chacun, quels que soient sa race, sa religion ou son sexe, mais je me rends très bien compte que ma réflexion politique n'est pas très élaborée ; le moindre tricot d'Anna l'est bien davantage !

Cynthia parle des droits des femmes à l'égalité et de leur rôle dans un monde moderne en mutation. Elle me demande ce que je veux faire après le lycée. Je réponds que je veux aller dans une école d'arts appliqués comme Russell. Je réalise rapidement que je viens de commettre une grosse gaffe. Brian dit aussitôt que c'est une totale perte de temps et pourquoi faudrait-il gâcher trois ou quatre ans de sa vie à peinturlurer et à quoi tout cela peut-il bien mener ? À part terminer comme prof d'arts appliqués.

— Le père d'Ellie enseigne à l'école d'arts appliqués, intervient sèchement Russell.

— Je suis désolé, Ellie, s'excuse Brian, l'air gêné. Je regrette d'avoir dit tout ça.

— Tout va bien. C'est exactement le discours que tient mon père, je réponds.

— Et ta mère ?

— Eh bien, dis-je en avalant ma salive, ma mère est morte il y a longtemps. Elle avait rencontré mon père à l'école d'art. Et Anna aussi. Anna, c'est ma belle-mère. Elle, elle n'est pas professeur. Elle crée des pull-overs pour enfants. Elle a commencé par concevoir des modèles pour un magazine mais maintenant, elle se diversifie, elle fait plein de trucs pour d'autres gens, des jouets en laine, de la maille pour adultes, toute sorte de choses.

— Où vend-elle ses créations ? Dans les kermesses ? demande Brian.

— Oh non ! Dans les boutiques. Surtout dans

les boutiques spécialisées pour enfants. Il y avait un article sur elle dans le *Guardian* la semaine dernière, et un de ses modèles était en photo dans la rubrique mode enfants du *Harper's*, je leur explique, légèrement fâchée de l'allusion aux kermesses.

Cynthia, très agitée, se précipite pour chercher le *Harper's* du mois dernier et le feuillette jusqu'à tomber sur le pull d'Anna avec tous ses petits lapins qui se bronzent au soleil en mangeant des carottes comme si c'était des esquimaux.

— J'adore ça ! C'est tellement mignon ! Et maintenant, elle fait des modèles pour adultes ? J'en voudrais bien un pour les vacances.

Même Brian paraît impressionné par le fait que les créations d'Anna soient dans les magazines sur papier glacé. Rien d'étonnant d'ailleurs. Le succès d'Anna a été très rapide. On aurait pu croire que papa serait plus enthousiaste. Mais en fait, pour lui, c'est un peu déstabilisant. Jusqu'à présent, le professionnel, c'était lui. Il avait été le prof d'Anna quand même ! Mais il est resté prof, alors qu'Anna est vraiment devenue une créatrice... Ne serait-ce pas finalement la raison pour laquelle il est tellement désagréable avec elle en ce moment ? Papa serait-il simplement jaloux ?

6
Les filles pleurent quand ça va mal à la maison

Il est très tard quand Brian me ramène chez moi. J'ai un peu peur que papa soit furieux parce que j'ai classe demain. Je respire un grand coup avant d'entrer. Je m'attends à ce que papa me fonce dessus en criant comme un malade. Rien ne se passe. Je trouve Anna toute seule dans le salon. Elle n'est pas en train de dessiner, ni de faire des calculs pour ses grilles de modèles, ni de tricoter des échantillons. Elle n'est pas en train de lire ni d'écouter de la musique. La télévision est éteinte. Elle est simplement assise, les yeux dans le vide.

— Anna ?

Elle cligne des yeux comme si elle avait du mal à me voir.

— Salut, Ellie, répond-elle d'une toute petite voix.

— Anna, qu'est-ce qu'il y a ? Qu'est-ce qui se passe ?

— Rien. Je vais bien. Alors, tu as passé une bonne soirée chez Russell ?

Normalement, j'aurais envie de me lancer dans une interminable conversation de filles sur Russell et son appart, sur Russell et sa belle-mère, sur Russell et son père, et Russell, Russell, Russell... Si j'avais un compteur dans la bouche, c'est le mot Russell qui pulvériserait tous les records. Mais pour une fois, c'est de quelqu'un d'autre dont j'ai envie de parler.

— Laisse tomber Russell, je dis avec fermeté. Qu'est-ce qui se passe ? Où est papa ?

— Je ne sais pas, réplique Anna avant d'éclater brusquement en sanglots.

Je m'assois à côté d'elle et je la serre contre moi. Anna sanglote avec désespoir sur mon épaule. Elle qui est toujours dans la maîtrise, elle qui fait toujours face, c'est terrifiant de la voir ainsi. J'essaie d'être calme et de la réconforter, mais j'ai le cœur qui bat la chamade et tout un tas de peurs grouillent dans ma tête comme de petites chauves-souris noires.

— Il n'est pas rentré après la fin des cours. J'ai

téléphoné à son bureau, mais il n'y a plus personne là-bas. Après, j'ai appelé sur son portable, seulement il est éteint, gémit Anna.

— Tu crois qu'il a pu avoir un accident ? je souffle.

Dans ma tête, je vois papa dans le coma, couché sur un lit d'hôpital tandis que les médecins et les infirmières s'efforcent de le rendre à la vie.

— Je ne crois pas. Il avait son portefeuille et son agenda sur lui. Quelqu'un aurait trouvé nos coordonnées et m'aurait prévenue, répond Anna.

— Alors, où est-il ?

Il arrive à papa de rentrer tard. Quand il lui prend l'envie d'aller boire un verre avec ses étudiants, si ce n'est trois ou quatre. Mais à cette heure, les pubs sont fermés. Il est presque onze heures et demie. Qu'est-ce qu'il fabrique ?

Une autre image de papa me vient à l'esprit. Encore dans un lit, mais cette fois en compagnie d'une jeune et jolie étudiante...

Je secoue la tête pour effacer cette image. Anna a la main devant la bouche, les yeux écarquillés. La même image sans doute.

— Un de ses étudiants a peut-être des problèmes personnels qu'il l'aide à régler ? je suggère en désespoir de cause.

Ah oui, papa aide sûrement une de ses étudiantes à régler ses problèmes ! Une larme roule sur la joue d'Anna. Je trouve un mouchoir en papier et je lui essuie doucement le visage.

— Anna, je t'en prie. C'est insupportable, je chuchote.

— C'est insupportable pour moi, réplique Anna en resserrant ses bras autour d'elle pour se bercer, comme si elle souffrait immensément. Comment peut-il me faire une chose pareille, Ellie ? Il sait à quel point je l'aime, à quel point il me fait mal. Pourquoi veut-il me faire du mal ?

— Oh, allons, Anna...

Je tire sur la manche du pull-over qu'elle a elle-même créé. Elle regarde la laine noire en tripotant les côtes.

— D'accord, d'accord, je reconnais que ces derniers temps, j'étais plutôt de mauvaise humeur. Je sais que ça énerve ton père quand il n'y a plus de beurre à la maison. Moi aussi, ça m'énerve ! Mais c'est sûrement pas une raison pour passer la nuit dehors !

— On n'en est pas à toute la nuit. Il va rentrer bientôt. Et ce n'est pas à cause du beurre. Ni parce que tu es de mauvaise humeur. C'est ton boulot. Tu comprends pas, Anna ? Il n'arrive pas à le supporter.

— Mais au début, il m'a bien soutenue. Il

savait à quel point je m'ennuyais à rester ici, surtout depuis que Eggs va à l'école. Il m'a encouragée...

— Ouais, mais ça, c'était quand il croyait qu'il allait s'agir d'un petit boulot d'appoint, le nouveau jouet d'Anna pour gagner un peu d'argent de poche. Mais maintenant, tu as vraiment décollé, tu as du succès...

— Et je ne sais pas comment je vais réussir à m'en sortir. Il faut que je me développe, que je me fasse aider. J'ai besoin de quelqu'un pour s'occuper d'Eggs quand je suis coincée. J'ai demandé à ton père s'il était d'accord pour aller le chercher plus souvent à l'école. Après tout, ça n'arrive pas souvent qu'il ait des cours tard dans l'après-midi. Mais ça l'a mis dans une rage épouvantable et il m'a répondu qu'il était professeur, pas garde d'enfants.

— Tu vois ! C'est bien ça, son problème.

— Mais de nos jours, la plupart des hommes participent.

— Pas les vieux comme papa ! Il a fait des progrès, remarque. Quand j'étais petite, il ne me mettait même pas au lit. Je crois qu'il se serait évanoui s'il avait fallu qu'il me change ou qu'il me nourrisse. C'est maman qui faisait tout.

— Ta mère a toujours tout fait, sanglote Anna.

C'est elle le véritable amour de sa vie, je le sais très bien. Je sais que je ne pourrai jamais la remplacer. C'est pas ce que je veux, mais tu n'imagines pas à quel point c'est épouvantable de savoir qu'on ne sera jamais la meilleure, avec toi, avec lui...

— Oh, Anna ! Maman était différente. Je suis sûre que papa t'aime autant qu'elle. Et regarde Eggs, il t'idolâtre littéralement. Avec lui, tu es la meilleure toutes catégories.

— Plus maintenant, depuis que je l'ai enguirlandé ce matin. J'ai essayé de me réconcilier avec lui après l'école, mais il est resté sur ses gardes, comme si je risquais d'exploser à chaque seconde. Ensuite, il fallait que je voie ces trois femmes qui vont tricoter les modèles de lapins. J'espérais vraiment que ton père serait là pour s'occuper d'Eggs, mais il n'est pas rentré et j'ai commencé à m'inquiéter pour lui. Une de ces satanées bonnes femmes n'avait pas l'air très douée et je ne crois pas qu'elle va faire l'affaire. Il y en a une autre qui attend un bébé pour bientôt, alors ça va pas coller non plus. Tout le temps où j'essayais de discuter, Eggs n'arrêtait pas de faire son intéressant et de nous interrompre. Il me rendait folle, si bien que j'ai fini par l'enguirlander. Il est parti se cacher en courant. Ça m'a pris des siècles pour le retrouver, sous son lit, couvert de poussière. Encore un autre problème : je n'ai jamais le temps de faire correctement le ménage. Le pauvre petit pleurait ; il a dit que j'étais une méchante maman et qu'il voulait retrouver l'ancienne...

— Oh Anna ! je m'écrie sans pouvoir m'empêcher de rire.

Un petit rire lui échappe à elle aussi, même si les larmes coulent toujours sur ses joues.

— C'est pas vraiment drôle..., dit-elle. Je devrais peut-être... peut-être renoncer à tous ces projets ? C'est ça la solution, non ? Ce n'est pas juste pour Eggs. Et ce n'est peut-être pas juste non plus pour toi et ton père.

— Arrête tes bêtises ! je m'exclame en prenant Anna par les épaules et en la secouant. Allez, Anna, sois pas bête ! C'est génial que tu connaisses un tel succès. Pas question de laisser tomber maintenant.

— Je ne crois pas que je pourrais l'accepter, effectivement. Je sais que je suis en permanence fatiguée et que je m'angoisse devant l'ampleur de la tâche, mais tu n'as pas idée à quel point ça me fait plaisir, tout ça, quand je vois le résultat, surtout quand je parviens à réussir exactement ce que j'avais en tête.

— Tu vois ! Donc pas question de laisser papa te mettre des bâtons dans les roues.

— Mais le problème, c'est que je l'aime. Et tu sais – et je sais aussi – ce qu'il est en train de mijoter en ce moment même, et ça, je ne peux pas le supporter.

Anna recommence à pleurer.

— Viens, allons nous coucher, je dis en l'aidant à se relever.

— Qu'est-ce que je vais faire ? Me retrouver toute seule de mon côté du lit, à contempler le plafond ? sanglote Anna en montant l'escalier. Et puis qu'est-ce que je ferai quand il finira par rentrer ? Semblant de dormir ? J'ai déjà joué à ça, Ellie, pour éviter les drames, mais je crois que je n'en ai plus la force. Ça fait trop mal.

Quel soulagement d'entendre Eggs gémir et appeler Anna d'une voix ensommeillée !

— Bon sang..., marmonne Anna.

Mais elle se redresse, s'essuie les yeux et se glisse dans la chambre d'Eggs.

— Qu'est-ce qui t'arrive, petit bonhomme ? chuchote-t-elle doucement. C'est ton rhume, mon trésor ? Laisse maman te moucher, mon cœur.

Eggs grommelle quelque chose à propos d'un méchant bonhomme et Anna le calme en lui disant qu'il n'y a pas de méchant bonhomme, que c'est seulement un vilain cauchemar. J'écoute, le cœur au bord des lèvres, et je regrette l'époque où j'avais l'âge d'Eggs et où il était si facile de me rassurer.

Quel malheur d'être assez grande pour comprendre la vraie nature de ce qui se passe entre papa et Anna ! Je veux qu'on me raconte combien ils sont heureux ensemble, que mon papa n'a rien d'un vilain monsieur, que tout ça n'est qu'un cauchemar, qu'on va bientôt se réveiller, et que papa sera là, tenant Anna par l'épaule, souriant, sifflotant, heureux, tel que je l'ai toujours connu.

Longtemps après m'être couchée, j'entends papa rentrer et monter l'escalier à pas de loup. J'attends, l'oreille tendue. Les chuchotements démarrent. J'ai l'estomac qui se retourne, je remonte les draps par-dessus ma tête, je me recroqueville dans mon lit – le plus que je peux, et j'essaie d'oublier tout ça.

J'imagine que maman est encore là. Elle est dans le lit avec moi, elle me tient serrée fort contre elle, elle me raconte des histoires de la souris Myrtille. Et lentement, petit à petit, la souris commence à trottiner dans ma tête, toute guillerette, ses moustaches bleues vibrantes, la queue en l'air. Elle habite dans une maison de poupées avec Maman Souris et Papa Souris. Mais Papa Souris se tire ailleurs et ne revient pas et Maman Souris a une nouvelle portée de souriceaux et n'a plus le temps de s'occuper de Myrtille, alors Myrtille prend sa chemise de nuit à pois, sa brosse à moustaches et son doudou, elle met tout ça dans un sac, elle se prépare un gros sandwich au fromage et elle s'en va à la découverte du vaste monde...

Je m'endors et je rêve de Myrtille-la-Souris. Je me réveille de très bonne heure. Je m'assois dans mon lit et je prête l'oreille. La maison est silencieuse. Je n'entends ni Anna pleurer ni papa discuter. Eggs a l'air profondément endormi. Je fais tourner ma bague autour de mon doigt, encore et encore, en me demandant si tout est fini à présent – ou bien si ça ne fait que commencer.

10 trucs pour dédramatiser un chagrin et surmonter une situation de crise :

Il y a plusieurs phases dans une situation de crise, comme une rupture par exemple. D'abord, le refus de cette nouvelle situation, de ce changement ; ensuite, l'abattement, l'effondrement ; puis la phase de colère et d'agressivité ; et enfin l'acceptation. Il est important de passer par chaque étape et d'essayer de remédier à ces différents sentiments qui t'envahissent.

Pendant la phase de refus :

1 Isole-toi pour réfléchir

à cette situation et à ses conséquences. Tu as besoin d'être seule pendant un petit moment, fais-le comprendre à tes proches. Explique à tes amis que cet isolement est nécessaire pour faire ton deuil de l'ancienne situation…

2 Écrire permet parfois

d'extérioriser ses sentiments. Ça peut être aussi la peinture, la musique, la danse… Il y a sûrement une activité qui te défoulerait et te permettrait de te vider la tête.

Pendant la phase d'abattement :

3 Accepte de l'aide.

Tu as besoin de parler de ton problème avec quelqu'un, une amie, un parent, un prof… Cette personne pourra te conseiller, elle aura un autre œil sur les choses car elle l'abordera d'une façon plus objective, et avec son expérience à elle.

5 Arrête de te plaindre,

ça ne changera rien ! Relativise et demande-toi si tu es vraiment la plus malheureuse du monde…Tu t'apercevras alors qu'il y a des gens qui ont bien plus de raisons de se plaindre que toi ! Tes problèmes, à côté des leurs, ne sont pas si graves, non ?

4 Pleurer n'est pas honteux !

Ça arrive à tout le monde ! À certains plus qu'à d'autres, certes ! Ne te cache pas, c'est humain. Et en plus ça soulage.

Petits conseils

Pendant la phase de colère et de rancœur :

6 Essaie de prendre du recul

par rapport à ta situation pour mieux l'analyser : une difficulté avec un garçon ? Il y a bien une solution ! Réfléchis, au lieu de ruminer le fait que tu as un problème ! Parles-en avec la personne concernée. Si c'est possible, mets-lui les points sur les i. Ça te défoulera ! Essaie de ne pas être trop agressive quand même, contrôle-toi ! Prends le taureau par les cornes !

Pendant la phase d'acceptation :

7 Commence à en discuter

plus ouvertement autour de toi, afin que ton problème ne devienne pas un tabou, pour toi comme pour les autres. Ca t'aidera à le vivre mieux.

8 Change toi les idées,

c'est le moment ! Dis à tes amies que tu as envie de bouger, de sortir, bref, de passer à autre chose ! Organisez-vous une ballade, une après-midi shopping, une soirée pyjama... Ça t'aérera l'esprit !

9 Prends de bonnes...

... résolutions. S'il s'agissait d'un problème avec un garçon, une amie ou un parent, tire une leçon de tout ça de façon à ce que cela ne recommence plus : être moins naïve, faire plus confiance à ta sœur, ne plus mentir, etc...

10 Occupe toi de toi :

opère un changement radical sur toi, qui sera le signe pour tous ceux que tu connais que tu t'es reprise en main : une nouvelle coupe de cheveux, un nouveau hobby, etc.

7
Les filles pleurent quand leurs copines font des secrets

Je n'ai absolument pas fait mes devoirs mais tant pis. Je sors mon carnet de croquis et je passe une bonne heure à dessiner Myrtille dans tous ses états. C'est amusant de lui créer des tenues différentes. Je décide que là où elle est la plus mignonne, c'est dans une salopette brodée de marguerites avec la boucle assortie dans une de ses petites oreilles rondes de souris. Après, je me lance dans les souliers. Je lui essaie des ballerines, de grosses bottines et des sandales à lanières, très féminines. Je lui offre un petit sac à dos dans lequel mettre ses affaires quand elle sort.

Ensuite, je lui invente des aventures. Cette pauvre petite Myrtille, je la plonge vraiment dans des histoires épouvantables. Comme si elle se retrouvait coincée en plein mélo souricier. Elle est traquée par les chats, poursuivie par les chiens et attaquée par une bande de rats voyous. Elle se paie un festin gargantuesque dans une cuisine mais manque de très très peu finir dans un piège à souris. Elle se retrouve blessée à la patte et elle se fait soigner par un hamster très maternant (Caramelle ressuscitée). Elle part pour une interminable virée nocturne en compagnie d'une rate des plus gothiques, qui porte vingt anneaux autour de sa queue, puis elle assiste à un concert d'enfer à Rongeurville.

Le monde imaginaire de Myrtille me calme tellement que j'en oublie presque la situation épouvantable de papa et d'Anna. J'entends Anna se lever, puis elle va dans la salle de bains asticoter Eggs pour qu'il se lave et qu'il s'habille, mais il est impossible de dire, d'après sa voix, dans quel état elle est.

Peut-être que tout s'est arrangé. Peut-être que papa avait une excuse parfaitement raisonnable pour avoir passé dehors la moitié de la nuit. Peut-être que papa et Anna se sont réconciliés après avoir discuté. Peut-être qu'ils seront pleins d'attentions l'un pour l'autre pendant le petit-déjeuner, comme d'habitude.

Je détestais tellement quand papa passait son bras autour de la taille d'Anna et qu'elle venait se blottir contre lui. Maintenant, je donnerais n'importe quoi pour les voir se serrer l'un contre l'autre. Mais quand je descends dans la cuisine, pas question d'embrassade ni de câlins. Anna parle doucement à Eggs, elle s'occupe de lui comme d'un bébé, elle le laisse même s'asseoir sur ses genoux pour manger ses céréales. Papa est debout près de l'évier en train de boire un café. Il ne regarde personne, il ne parle pas, il se conduit comme s'il ne faisait déjà plus partie de la famille.

Je regarde les yeux gonflés d'Anna et son visage pâle. Je suis tellement en colère contre papa. Comment ose-t-il lui gâcher ainsi la vie, nous la gâcher à tous ?

— Papa ? Papa, je peux te parler ? je dis en m'approchant de lui.

— Quoi ? Écoute, Ellie, je suis un peu pressé. Ça ne peut pas attendre ? répond papa en posant sa tasse avant de se diriger vers la porte.

— Non, ça ne peut pas attendre, papa, je réponds violemment. Je veux savoir ce qu'il se passe. Où étais-tu hier soir ?

— Non, Ellie, pas maintenant, intervient Anna.

— Pourquoi ? Pourquoi je ne pourrais pas poser la question ? À quoi tu joues, papa ? Pourquoi tu fais ça ?

Je suis plantée devant lui, le menton levé, les poings serrés.

Papa a l'air en colère, lui aussi, et ses yeux lancent des éclairs.

— Occupe-toi donc de tes affaires, Ellie, me rétorque-t-il en me poussant pour passer. Ça ne te regarde absolument pas.

— Ça me regarde absolument ! je crie.

— Pas devant Eggs ! implore Anna tandis que papa sort.

— Mais lui aussi, ça le concerne, comme nous tous, je dis en courant après papa dans l'entrée. Tu n'as pas le droit de nous gâcher la vie comme ça, papa. Tu ne vois donc pas à quel point tu rends Anna malheureuse ? Rien que parce que tu es jaloux d'elle !

— Alors, tu crois que je suis jaloux ? dit papa en ouvrant la porte.

— Oui, parce qu'Anna se débrouille drôlement bien. Tu ne le supportes pas. C'est tellement caractéristique de l'ego masculin. Tu ne supportes pas qu'elle puisse te faire de l'ombre. Tu n'as pas laissé ma mère travailler, pas vrai, même si elle était douée ?

— Tu parles de ce que tu ignores, rétorque papa. Ta mère ne souhaitait pas travailler. Elle voulait s'occuper de toi.

— Oui, mais je parie qu'elle aurait bien voulu s'y mettre une fois que j'allais à l'école. Elle aurait été une graphiste douée, tout comme Anna est une styliste formidable. Voilà ce que tu ne peux pas supporter, papa. Tu n'es pas doué. Tu veux qu'on t'admire et qu'on te trouve merveilleux. Eh bien, tu ne l'es pas du tout. La seule chose pour laquelle tu es doué, c'est pour nous rendre tous malheureux.

— Eh bien, maintenant, au moins je suis au courant, dit papa avant de sortir en claquant la porte.

Je me retrouve plantée là à me demander si j'ai envie de le poursuivre de mes hurlements dans l'allée.

J'en ai peut-être balancé suffisamment.

Je tremble. Anna vient m'entourer de son bras et me ramène dans la cuisine. Elle me verse une tasse de thé. Eggs nous observe, sa cuillère de céréales dégouline lentement sur la manche de son sweat.

— Tu as crié après papa, Ellie ! dit-il. Tu vas avoir des ennuis.

— Je m'en fiche, je réponds en buvant mon thé.

Mais mes dents cliquettent contre la porcelaine. Je regarde Anna.

— Je m'excuse, je reprends. Je n'ai vraiment pas pu m'empêcher de tout lui sortir.

— Je sais, dit Anna en me tapotant l'épaule. Ne t'inquiète pas trop, Ellie. Tout ça finira sans doute par s'arranger.

— Pas sûr, je dis en la serrant contre moi.

Tout en marchant vers l'arrêt de bus, je pense à ce qui peut se produire. Comme les gosses, je joue à ne pas marcher sur les lignes du trottoir. Si je réussis à toutes les éviter jusqu'à l'école, alors Anna et papa ne se sépareront pas. Avant, je mourais d'envie que ça arrive. Je voulais qu'Anna dégage avec Eggs pour que je me retrouve toute seule avec papa. Mais ce n'est plus du tout ce que je veux maintenant. Je détesterais me retrouver en tête à tête avec papa – ou papa, moi et une nouvelle petite amie quelconque. Je me sentirais aussi exclue que Russell.

Je pense à lui avec ardeur. Je touche ma bague et je la fais longuement tourner autour de mon doigt. On va peut-être rester ensemble éternellement. On ne saura plus ce qu'est la solitude. Chacun de nous aura l'autre...

Je ferme les yeux en murmurant le nom de Russell et je manque presque rentrer dans le type blond, l'Homme-de-mes-rêves. Il esquive en faisant un petit pas de côté.

— Ouh là là ! Collision évitée – de justesse !

— Pas d'angoisse, j'ai mon sac à dos sous contrôle, je rétorque.

— Moins pressée que d'habitude aujourd'hui ? À quoi tu pensais ? À ton petit ami ?

— Peut-être bien, je réponds en devenant rouge comme un coquelicot.

— Ah, c'est bien. C'est l'amour, hein ?

— Je crois.

J'en suis sûre. Je pense à Russell jusqu'à la porte du collège. Je me souviens de la façon dont il m'a embrassée hier soir. La seule idée de ses mains sur moi me rend toute ramollie. Mais dans un coin de ma tête, une petite Ellie-l'Éléphant penche la tête, la trompe traînante, obligée de faire tout un tas de nouveaux trucs pour Russell alors qu'elle est à moi et qu'elle ne veut faire que des trucs que, moi, je lui demande.

Je meurs d'envie de voir Nadine et Magda. Il faut absolument que je leur raconte ce qui se passe entre papa et Anna. Pour voir si d'après elles, c'est très grave.

Je veux aussi leur parler de Russell et savoir jusqu'où elles pensent que je peux aller. Nous discutons souvent de ça. Nous avons même attribué des numéros aux différents stades. Nadine est arrivée au bout de la liste avec Liam, mais Magda s'est toujours montrée étonnamment réservée ; pour elle, pas question d'aller au-delà du baiser tant qu'elle ne sera pas impliquée dans une relation qui lui convienne. Mais Russell et moi, on a une vraie relation, maintenant. J'ai vraiment besoin de l'avis de Nadine et Magda.

Quand j'arrive, elles sont déjà là, assises sur une table, les jambes pendantes. Nadine chuchote quelque chose à Magda et elles éclatent de rire.

— Salut ! C'est quoi, la grosse blague ? je demande.

Elles se regardent. Nadine secoue la tête, à peine.

— Oh, rien, répond-elle.

— On faisait les idiotes, renchérit Magda.

Je les regarde, le cœur battant. Rien ! Elles font des blagues entre elles et elles refusent de m'en parler. Mais pourtant, on partage toujours tout. Chacune est la meilleure amie des deux autres. Brusquement, je me sens dans la peau de la pauvre petite gamine qui se fait virer du tapis de jeu à la maternelle pendant que ses deux copines jouent tranquillement dessus.

— Allez, arrêtez les filles. C'est moi, Ellie ! j'insiste avant de comprendre d'un seul coup. Ah, la blague, c'était à propos de moi, c'est ça ?

— C'est pas ça, réplique Magda mais sans me regarder.

— Mags ? Naddie ? Écoutez, vous rigoliez comme des baleines et après vous me voyez et vous vous taisez vite fait. Donc, c'est évident que c'était de moi que vous riiez.

— Oh Ellie, arrête d'être aussi parano ! dit Nadine en glissant de la table pour attraper sa brosse à cheveux dans son cartable. Nous faisions juste une petite blague à propos d'un garçon, si tu veux savoir.

— Ah oui, et quel garçon ? Ce serait pas mon Russell, par hasard ? je réplique, sentant la moutarde me monter au nez.

— Ah, ah, *ton* Russell ? dit Nadine. Vous formez un vrai petit couple maintenant, Ellie. Et pourtant c'était toujours toi qui m'embêtais en disant que j'abandonnais les copines quand je sortais avec Liam.

— T'étais aussi en rogne contre moi quand je sortais avec Mick, tu te souviens ? Et maintenant, tu peux même plus envisager de venir chez moi pour m'aider à me remettre de la mort de la pauvre Caramelle. Tu te tires vite fait avec ton Russell.

Je les regarde toutes les deux, les yeux écarquillés. Mais qu'est-ce qui leur prend ? On est en train de se disputer, ou quoi ? Je peux pas supporter ça. Elles sont mes meilleures amies. Nadine et Magda, elles comptent plus que tout au monde.

Je ne m'étais pas rendu compte à quel point elles étaient fâchées que je n'aille pas à leur petite fête funéraire chez Magda. Et je ne suis pas sûre que Magda elle-même soit tellement ravagée de chagrin pour son hamster. Tant que Caramelle était en vie, on n'en entendait jamais parler. N'empêche, je me sens un peu méchante de ne pas être venue.

— La cérémonie s'est bien passée ? je demande d'un ton contrit.

— Tout à fait bien, répond Nadine.

— Oui, Naddie a fabriqué un cercueil génial. Elle a peint une boîte à chaussures en noir et elle l'a doublée avec un foulard en soie violet. J'ai glissé la pauvre petite Caramelle dans un gant de dentelle noire. Elle était tellement mignonne, même si elle commençait déjà à puer un peu.

Magda laisse échapper un reniflement plein de tristesse.

Je commence à regretter de ne pas être venue.

— Après, on a fait un enterrement tout ce qu'il y a de plus gothique. En fait, plutôt viking puisqu'on a fini par envoyer Caramelle naviguer tout droit vers le Valhalla des Hamsters.

— On voulait creuser une tombe mais Magda n'avait qu'une vieille pelle de plage en plastique et je me suis cassé deux ongles à farfouiller dans toute cette terre, alors on a emmené Caramelle jusqu'à la rivière.

— En cortège, et on avait toutes les deux un voile noir. On a croisé des gars en bicyclette, ils ont commencé à nous baratiner mais je leur ai dit qu'on allait à un enterrement et qu'ils devaient se montrer plus respectueux. Alors ils se sont sentis bêtes et ils nous ont parlé comme il faut, mais Nadine les a envoyés sur les roses.

— Oh, c'était que des gamins.

— Ils étaient en cinquième !

— Comme j'ai dit, des gamins, insiste Nadine.

— Rien que parce que tu fréquentes un type de dix-neuf ans, je dis.

Nadine regarde Magda. Magda lui rend son regard. Elles échangent un petit sourire complice.

— Quoi ? je m'exclame. Oh, allez, soyez pas vaches ! Magda. Nad. Racontez-moi !

Mais Mme Henderson arrive au petit trot dans la classe, vêtue de son survêtement. Elle nous fait taire.

Il va falloir que j'en apprenne davantage.

8
Les filles pleurent quand
leurs copines les traitent de grosses

Je suis bien obligée d'attendre l'heure du déjeuner. À la récré, on n'a pas le temps. Mme Henderson nous retient tellement tard en gym qu'on est encore sur le terrain de sports quand la cloche sonne. On perd un bon quart d'heure à se doucher en quatrième vitesse et à se rhabiller n'importe comment. Je file mon collant en essayant de le remonter trop vite. J'ai les cheveux ignoblement frisés et je n'arrive pas à les aplatir. Je meurs d'envie de balancer la brosse dans le miroir.

Je déteste l'allure que j'ai. Magda et Nadine ont des silhouettes tellement magnifiques. Nadine est mince, souple comme une liane, belle. Magda est tout en courbes mais seulement là où il faut. Moi, des courbes, j'en ai partout. Je déteste mon ventre, qui dépasse de ma culotte, et mes grosses cuisses de baleine, surtout quand elles sont bien roses après avoir couru sur le terrain de hockey.

Peut-être que je devrais essayer de perdre à nouveau un peu de poids. Pas question de péter les plombs comme le trimestre dernier. Mais si je perdais juste quelques kilos...

À midi, il y a de la pizza. Je suis tellement affamée que j'en dévore une énorme part plus des frites. Ensuite je décide que tant qu'à faire, je peux me goinfrer total et, comme dessert, je m'offre un énorme chou à la crème.

Magda, Nadine et moi, on va dans notre coin conversation préféré, sur l'escalier près des toilettes. On se tasse toutes les trois sur la même marche, moi au milieu. Heureusement, j'ai l'impression qu'on est de nouveau copines.

— On est amies, hein ? je demande d'un ton pathétique en les entourant chacune d'un bras.

— Évidemment qu'on est amies, pauvre gourde, rétorque Nadine.

— T'es nulle, Ellie. On est amies pour toujours, tu le sais très bien, renchérit Magda.

— Alors, pourquoi vous avez un secret toutes

les deux ? j'insiste en leur donnant un petit coup. Allez, dites-le-moi ou je vous tape sur la tête.

— Vas-y, Naddie, raconte-lui.

— Euh... Ellie, tu promets de ne pas prendre l'air pincé et de ne pas faire la leçon ? dit Nadine.

— Il n'en est pas question ! je m'indigne. Mais pourquoi ? Qu'est-ce que t'as fait ?

— Je n'ai rien fait, réplique Nadine. C'est seulement... bon, tu sais, j'ai parlé de ce type, Ellis...

— Ah ! Alors, qu'est-ce que tu as donc fait avec lui ?

— Rien. Pour de vrai. On s'est même pas serré la main.

— Et pourtant, il ne t'a rien caché de sa vie intime, ajoute Magda en éclatant de rire.

— Ferme-la, Mags, dit Nadine.

Et voilà. Elles recommencent à m'exclure de leurs histoires. C'est insupportable. Je lâche leurs épaules et je gigote pour me lever.

— Ellie ?

— Où tu vas ?

— Je sais quand on ne veut pas de moi, je marmonne.

— Oh, bon sang de bonsoir, Ellie !

— Assieds-toi, nom d'un chien !

Nadine me tire le bras et Magda m'attrape les

genoux, si bien que je m'écroule en tas sur elles deux. Nous roulons les unes sur les autres, d'abord en râlant puis en riant comme des folles. Inutile d'essayer de rester de mauvaise humeur quand on est coincée en sandwich entre deux filles qui gloussent.

Quand on a enfin réussi à démêler nos bras et nos jambes, Magda lâche :

— Nadine a rencontré cet Ellis sur l'Internet !

— Mags ! Tu avais juré de ne rien dire.

— Pourquoi tu ne m'en as pas parlé avant ? L'Internet ! Mais Nadine, t'es pas givrée ?

— Voilà ! Je le savais ! C'est la raison précise pour laquelle je ne voulais pas que tu sois au courant ! La tête que tu fais, Ellie ! Tu as vraiment l'air choquée !

— Ah, rien d'étonnant. Tu ne vas quand même pas me dire que tu l'as rencontré dans un de ces *chats* ? C'est pas vrai !

— Mais si, confirme Magda.

— Mais non. On s'est rencontrés sur ce site web, *Xanadu*, tu sais, Ellie, je t'en ai déjà parlé. C'est cette revue de BD gothique supercool...

— Ouais, ouais, j'aime bien leur graphisme, surtout la façon dont toutes les cases sont de taille différente et les personnages qui sortent direct des traits noirs...

— Oh, Dieu, nous fais pas le coup de la technique ! Garde ton discours artistique pour Russell, m'interrompt Nadine. Moi, j'aime bien *Xanadu* parce qu'il y a une histoire qui fait peur avec cette héroïne géniale qui a des longs cheveux noirs et une peau très blanche... un peu comme moi, en fait !

— Sauf que tu ne te balades pas partout avec un minibikini noir et des cuissardes noires, dit Magda en riant. En tout cas, Ellie, Nadine s'est mise à bavarder avec ce type sur le site *Xanadu*, et maintenant, ils s'envoient des e-mails tous les soirs. Je suis venue les rejoindre hier soir après les funérailles de Caramelle. Ellis est trop cool. Bon, il manque pas d'air, c'est vrai... il y a des trucs qu'il demandait à Nadine carrément gonflés, mais je suppose que les mecs...

— Quel genre de trucs ?

Magda me raconte.

— Nadine ! Tu n'as pas répondu, quand même ?

— Écoute, Mags, je regrette que tu ne l'aies pas fermé. Ellie va commencer à ressembler à ma mère, dit Nadine en levant les yeux au ciel.

— Tu n'en as pas parlé à ta mère, je suppose ?

— T'es pas cinglée ! rétorque Nadine, outrée. Bien sûr que non ! Elle péterait les plombs !

— C'est toi qui les as pétés, Nad ! Pourquoi tu rencontres jamais quelqu'un de normal ?

— Les gens normaux, c'est ennuyeux. Je suis pas comme vous deux. Je veux pas d'andouilles comme Russell et Greg.

— Russell n'a rien d'une andouille, je proteste.

— Greg si, dit Magda. Il a peut-être appris à embrasser, mais côté conversation, il est toujours aussi nul... alors qu'Ellis raconte des trucs incroyables !

— Ça, ça m'étonne pas !

— Non, de jolies choses romantiques, Ellie. Il communique pour de vrai avec Nadine. Ses messages, c'est de la poésie à l'état pur.

— Quand je me suis connectée ce matin, il m'a dit qu'il était en train d'écrire un poème sur moi, déclare Nadine avec fierté. Il l'a intitulé : *Pour celle que j'ai rencontrée sur Xanadu.*

— Mais à quoi tu joues, Nadine ? Il doit fantasmer que tu portes un bikini et des cuissardes noires, ce salopard de pervers.

— Comment oses-tu le traiter de salopard de pervers ? s'écrie Nadine en rougissant. Et quand bien même il le ferait ? C'est qu'un fantasme inoffensif.

— Moi, j'en mourrais à l'idée qu'un type m'imagine comme ça, je déclare.

— Ouais, ben y a peu de chances, pas vrai, Ellie ? Je veux dire, t'es tellement grosse que t'aurais l'air carrément ridicule avec un bikini et des cuissardes, lâche Nadine.

Magda manque s'étouffer. Un petit silence s'installe. Je ne peux pas croire qu'elle ait dit ça. D'accord, c'est vrai, mais c'est tellement odieux de sa part ! Les larmes commencent à me piquer les yeux. Je me lève, toute tremblante.

— Oh, rassieds-toi, Ellie, s'il te plaît, intervient Magda. Ne recommence pas à faire la tête.

— Tu as entendu ce qu'elle a dit !

— Oui, mais elle ne le pensait pas.

— Elle a traité Ellis de salopard de pervers ! se défend Nadine.

— Elle ne le pensait pas non plus ! dit Magda.

Nadine et moi, nous nous regardons. Chacune pensait ce qu'elle a dit à l'autre. Il ne s'agit pas d'une petite querelle idiote qui se règle en cinq minutes. C'est une dispute grave. Notre amitié est au bord de la rupture. En fait, nous avons même franchi le pas.

— Salut ! je dis en m'éloignant, la tête haute.

Tellement haute que je trébuche sur les marches et que je me cogne le tibia. Ça fait un mal de chien. C'est peut-être pour ça que j'ai le visage ruisselant de larmes.

Es-tu sûre de toi ?

Nadine vient d'insulter Ellie : elle qui n'a déjà pas confiance en elle,
elle a maintenant l'impression d'être vraiment une fille hyper laide...
Et toi, as-tu confiance en toi ?

1. Lorsque tu traverses la cour de ton lycée :

● et bien, tu traverses la cour du lycée, où est le problème ?

▲ tu marches la tête haute et fais tout pour te faire remarquer.

■ tu demandes toujours à une copine de t'accompagner car tu ne veux pas avoir l'impression d'être le centre d'attention de toute l'école.

2. En cours, le prof t'interroge :

● ça ne te dérange pas, du moment que tu sais la réponse.

▲ tu es contente, tu vas enfin pouvoir leur montrer à tous que tu sais plein de choses.

■ Quelle galère ! tu te sens comme montrée du doigt en plein milieu d'une place publique.

3. Lorsque tu sens qu'une copine te mène par le bout du nez :

● tu attends le moment propice aux explications.

▲ tu vas la voir immédiatement et lui mets les points sur les i.

■ tu fais comme si tu ne t'en apercevais pas, elle est beaucoup trop populaire et il vaut mieux l'avoir dans son camp.

4. Avant un devoir sur table :

● tu es un peu stressée, normal, mais tu as beaucoup révisé, alors il n'y a pas de raison que ça n'aille pas.

▲ tu n'es pas du tout du genre à stresser, de toute façon ça ne sert à rien !

■ tu es super angoissée : tu as beau lire et relire tes cours, tu as l'impression que rien ne rentre et que tu n'y arriveras jamais !

5. Avec tes copines, lorsque vous allez faire les boutiques :

● tu parles avec tous les gens que tu rencontres sans aucune timidité.

▲ tu vas souvent au devant des vendeuses, ça ne te pose aucun problème.

■ ce n'est jamais toi qui parles aux vendeuses, tu les fuis car tu détestes ça.

6. Lorsqu'un garçon te plaît :

● tu essaies d'attirer son attention discrètement.

▲ tu l'accostes ouvertement, à quoi bon attendre ?

■ tu attends qu'il vienne vers toi.

7. Quel métier souhaites-tu exercer ?

● employé de bureau. Téléphone, Internet : avoir tes marques est important pour toi, ça te donne confiance en toi.

▲ top model, pour défiler sur les podiums et apparaître dans tous les magazines.

■ un métier qui te permettrait d'être en contact avec la nature, à l'extérieur.

8. Parler au téléphone :

● ça ne te dérange pas, mais de là à le porter en boucle d'oreille...

▲ tu adôôres ça, d'ailleurs on te reproche d'être tout le temps collée à ton portable.

■ ça te crispe, tu n'arrives pas à être naturelle.

9. Tes vêtements :

● tu changes de style selon les jours, les activités, et tes humeurs !

▲ sont le reflet de ta personnalité : coupes originales, couleurs voyantes...

■ sont assez discrets et classiques, tu préfères te fondre dans la masse.

10. L'idée de passer le permis de conduire :

● te fait un peu peur mais c'est normal non ? Il paraît que ce n'est pas si difficile que ça en a l'air.

▲ t'excite : quand tu auras ta voiture, tu seras libre !

■ t'angoisse extrêmement : tu es sûre de ne pas l'avoir du premier coup.

Test

Résultats

Tu obtiens un maximum de ● :

Tu as un peu confiance en toi, ça dépend des moments. Parler avec des personnes que tu ne connais pas t'embête un peu, tu te méfies du regard des autres. Mais ça ne t'empêche pas de faire ce que tu veux, de faire un exposé ou d'aller faire les boutiques. Tu relativises beaucoup et es consciente que chacun a des points faibles, alors tu ne te sens pas si complexée que ça...

Tu obtiens un maximum de ▲ :

Tu es très sûre de toi et aimes te produire en spectacle, devant un petit comité comme devant tout un amphithéâtre. Tu aimes en faire des tonnes (tu parles fort et avec les mains, à l'italienne, même quand tu es au téléphone !) et te faire remarquer. Fais du théâtre, au moins là on ne te reprochera pas cette confiance en toi...

Tu obtiens un maximum de ■ :

Tu es timide et manques horriblement d'assurance. Arrête de complexer, prends-toi en charge ! Tu sais, tu n'es pas le centre du monde : les gens n'ont pas constamment les yeux fixés sur toi ! Tourne-toi un peu vers les autres, tu verras ! Et puis, regarde-toi, tu n'es pas si horrible que ça, non ?

9
Les filles pleurent quand elles se disputent avec leurs copines

Je renifle avec acharnement, parce que je ne veux pas m'essuyer les yeux tant que Magda et Nadine me voient.

Nadine et Magda... Aucun bruit de pas derrière moi, aucun bras autour de ma taille, aucun mot chuchoté dans mon oreille. Magda a choisi de rester avec Nadine. Ce sont elles les meilleures amies maintenant. Pourtant, Nadine a toujours été mon amie à moi, depuis l'époque où nous étions en maternelle ensemble. Quand on est arrivées au collège Anderson, c'est moi qui suis devenue amie avec Magda. Pendant longtemps, Nadine ne l'a guère appréciée. Il fallait toujours que je fasse le tampon – avec le derrière entre deux chaises.

Maintenant, c'est fini. Les deux chaises, je peux mettre mes grosses fesses dessus, à l'aise.

C'est insupportable. Comment peut-elle être aussi méchante ? Elle sait à quel point je suis susceptible sur mon physique. Elle sait que le trimestre dernier, j'ai failli devenir anorexique. A-t-elle envie que je régresse et que je me lance à nouveau dans un régime obsessionnel ?

Pas question de me laisser entraîner. Pas question de prendre ça autant à cœur.

Mais tandis que je reste toute seule dans mon coin tout l'après-midi, j'ai l'impression que Nadine a écrit GROSSE en lettres majuscules dans mon dos. Ça me brûle. Littéralement. J'en ai envie de me gratter. Et je commence à avoir également mal au ventre. Il est plus gros que jamais : un immonde melon énorme qui déforme ma jupe. Je le pétris à pleines mains sous la table. La douleur empire. Une douleur tristement familière, un pincement qui file la nausée. Ce sont mes règles qui démarrent.

Il faut que je fonce à la maison à la minute où la cloche sonne la fin des cours. J'hésite un quart de seconde, en me demandant si Nadine va me regarder (depuis le déjeuner, elle m'ignore consciencieusement, même si on est assises l'une à côté de l'autre), mais elle est en train de ranger tranquillement son sac en bavardant avec Magda. Magda me jette un coup d'œil, l'air inquiet. Elle me sourit, mais elle reste à côté de Nadine.

Bon, pas question de traîner dans l'espoir qu'on va faire amie-amie. De toute façon, je ne peux pas. Il faut que je fonce chez moi. Je vérifie rapidement l'état de ma jupe par-derrière et je me précipite.

— Ellie ! Attends ! crie Magda avant d'ajouter : Ne fais pas le bébé !

Comment ose-t-elle ? Je ne me comporte absolument pas comme un bébé ! C'est moi l'adulte responsable en l'occurrence. Nadine est une vraie imbécile de laisser un inconnu complet lui envoyer des messages idiots. Il peut s'agir de n'importe qui. Ellis me paraît un nom des plus suspects, déjà. C'est peut-être vraiment un salopard de pervers.

Je suis furieuse contre Nadine, mais, évidemment, ça ne m'empêche pas de l'aimer toujours. Je n'ai aucune envie qu'elle se mette dans des embrouilles graves. Il est clair qu'elle ne m'écoutera pas. Alors il faudrait peut-être que j'en parle à quelqu'un ? À la mère ou au père de Nadine ? Non, impossible. Nadine me tuerait. Magda et elle ne m'adresseraient plus jamais la parole.

— Ellie ! Eh, Ellie !

Oh, bon sang, c'est Russell à la porte du collège. J'ai failli passer devant lui sans le voir.

— Oh, Russell, désolée !

— Tu étais plongée dans tes pensées ! C'était à moi que tu pensais ?

— Non, je m'inquiétais pour Nadine parce que...

— Parce que tu es obsédée par elle et Magda... je sais ! rétorque Russell avec colère. Je ne vois pas pourquoi tu t'embêtes à me voir. Tu serais bien plus heureuse à traîner avec tes copines tout le temps.

— On s'est disputées, si tu veux le savoir. Écoute, je suis très inquiète pour Nadine, elle est devenue complètement folle et...

— Elle *est* folle. Écoute, oublie-la, oublie Magda. Viens chez moi et on va passer un moment délicieux, rien que toi et moi.

— Je peux pas.

— Pourquoi ?

Je ne peux pas lui expliquer que je dois aller me changer le plus vite possible. Je sais qu'on devrait pouvoir tout raconter à son petit ami. Mais pas ça. Je serais trop gênée.

— Je... je ne me sens pas très bien, je dis avec une certaine sincérité. Je voudrais rentrer chez moi m'étendre.

— Viens plutôt t'étendre avec moi, dit Russell.

— Ben voyons...

— Je serai très gentil avec toi. Je te masserai le front... et les épaules... et tous les endroits auxquels on pensera...

— Laisse tomber !

Je voudrais bien qu'il ne soit pas aussi lourd, parfois. Ça me plaît qu'il m'aime, mais, ces derniers temps, j'ai l'impression que tout ce qui l'intéresse, c'est de voir jusqu'où il peut aller avec moi. J'adore les choses qu'on fait ensemble mais parfois, j'apprécierais qu'il pense davantage à moi comme à une personne, plutôt que comme à un corps.

Pour l'instant, mon corps me laisse tomber dans les grandes largeurs. J'ai le ventre en capilotade. Je sens une humidité inquiétante.

— Je suis désolée, Russell, mais il faut vraiment que je rentre chez moi tout de suite, je dis en me mettant à courir.

Quand j'arrive enfin à la maison, je suis dans un état épouvantable. Anna a laissé un mot pour dire qu'elle est partie en ville rencontrer l'acheteur d'une chaîne de grands magasins ; il souhaite faire une promotion spéciale sur des produits textiles enfants qu'Anna concevrait.

Cela signifiera plein de travail en plus si jamais

ça marche, alors je ne suis pas sûre de dire oui, m'a griffonné Anna. *Tu sais où en est la situation avec ton père.*

— Surtout, dis oui, Anna, je marmonne. Et tant pis pour papa.

Je continue à lire. Oh, zut ! Eggs est allé goûter chez Natacha, la petite sœur de Nadine. *J'espère être revenue vers six heures, mais si je suis en retard, tu peux être un ange et aller chercher Eggs, Ellie ?* poursuit Anna.

Espérons qu'elle ne sera pas en retard. Je ne veux pas aller chez Nadine, pas pour l'instant.

C'est délicieux d'avoir la maison pour moi toute seule. Je prends un long bain chaud enfouie dans les bulles et je masse mon pauvre ventre douloureux.

GROSSE.

Non ! Pas question de penser à Nadine. Ni à Magda. Ni à papa. Ni à Anna ni à Eggs. Ni même à Russell. C'est à moi que je vais penser.

Je m'essuie, j'enfile ma vieille salopette confortable et un sweat à rayures et je m'assois en tailleur sur mon lit pour dessiner Myrtille-la-Souris. Il lui arrive plein d'aventures épouvantables. Elle s'enfuit même à Londres et devient une souris de métro, à rôder dans les tunnels et à se planquer chaque fois qu'elle entend le rugissement terrifiant d'une rame. Son magnifique pelage bleu devient noir de suie, elle perd le bout de sa queue en réussissant à échapper de justesse à l'énorme botte d'un homme d'entretien.

Quand même, je m'arrange pour que ça se termine bien. Une petite fille l'attire sur le quai avec un sandwich au fromage, enveloppe son petit corps crasseux dans un mouchoir en papier et la fourre au fond de sa poche. Elle ramène Myrtille à la maison, elle la nettoie avec tendresse, elle la bichonne et elle lui offre une nouvelle maison, magnifique. C'est encore une maison de poupées, mais cette fois c'est vraiment la Résidence Myrtille, avec des papiers peints dans des dégradés de bleu, motifs de saules dans la cuisine, de roses dans le salon et minuscules étoiles d'argent sur fond bleu foncé dans la chambre.

Pour finir, je caresse doucement la petite tête crayonnée de Myrtille quand elle se blottit sous sa couette bleu marine dans la toute dernière image. Puis je déniche une grande enveloppe. Je rédige une lettre dans laquelle j'explique que je n'ai pas de dossier de participation et que je sais que je suis hors délai, mais s'ils voulaient bien quand même jeter un œil sur mon travail.

À six heures, Anna n'est pas rentrée. Pas de

trace de papa non plus. Donc, à moi de jouer les grandes sœurs responsables.

En allant chez Nadine, je poste mes dessins de Myrtille. Au moment de remonter l'allée de gravier, je me sens bêtement nerveuse. Mes semelles crissent. Mon ventre se serre.

C'est la mère de Nadine qui m'ouvre la porte, l'air un peu égaré. On entend des hurlements de rire venant de la cuisine – un rire haut perché d'enfant.

— Ah c'est toi, Eleanor ! Entre, ma belle. Je m'attendais à voir ta mère.

— Oui, désolée, elle est retenue par une histoire de travail.

— J'espère que tu es venue récupérer ton frère. Parce qu'il est plutôt surexcité. Pas une très bonne idée si près de l'heure du coucher. Il a renversé tout son verre de jus d'orange sur lui, si bien que j'ai dû le changer de la tête aux pieds. Je m'apprêtais à lui mettre un jean et un pull-over de Natacha mais lui, il a eu une autre idée...

À ce moment précis, Eggs sort de la cuisine comme un bolide, poursuivi par Natacha, qui est en jean, ses longs cheveux cachés sous une casquette de base-ball. Elle a mis les grosses chaussures d'Eggs. Oh, non ! Eggs a mis la plus froufroutante des robes roses de Natacha. Il a plein de barrettes roses dans les cheveux, des bracelets du haut en bas des bras et il traîne des chaussures à hauts talons avec des boucles en diamant.

— Salut Ellie-Spaghetti ! C'est moi ta sœur Eggerina et je te présente mon petit ami Nat, crie Eggs d'une voix suraiguë, crispante.

Mon frère en mini-travesti.

— Enlève cette robe immédiatement, Eggs ! Tu vas la salir. Dépêche-toi, il faut qu'on rentre à la maison.

Eggs ne tient aucun compte de ce que je lui dis. Il continue son manège en criant gaiement et se lance dans un cancan déchaîné, en vacillant sur ses talons. Natacha hurle de rire quand il nous montre qu'il a même enfilé ses culottes à volants.

— Je vais m'en occuper, dit la mère de Nadine d'un air las. Toi, va voir Nadine. Elle est dans le bureau, elle travaille sur l'ordinateur. Elle trouve Internet sacrément utile pour ses devoirs.

Tu parles, Charles ! Je n'ai aucune envie d'aller la voir mais pas non plus envie d'apprendre à sa mère que nous ne nous parlons plus. Je me dirige donc à reculons vers le bureau. Nadine est penchée sur l'écran, en train de lire un e-mail avec un petit sourire satisfait. Elle sursaute, affolée, quand j'entre dans la pièce, et ferme vite fait les fenêtres sur l'écran – et puis elle se rend compte que ce n'est que moi. Nous nous regardons. Nous rougissons en même temps.

— Ellie ?

— Nadine ?

Petit silence. Qu'est-ce qui nous prend ? Nous sommes les meilleures amies du monde, nous l'avons toujours été, nous le serons toujours.

— C'est ta petite copine grassouillette, je dis d'une voix tremblante.

— Oh El, je suis désolée.

— Pas tant que moi.

Nous nous jetons dans les bras l'une de l'autre.

— On est tellement nulles, j'ajoute.

— Je sais, je sais, Ellie. Je ne le pensais pas du tout.

— Et moi, je n'avais pas du tout l'intention de te faire la morale sur... tu sais...

D'un geste, je montre l'écran vide.

— Je sais que c'est un peu dangereux. Je sais qu'il y a des cinglés sur le Net. Mais Ellis est tellement différent, Ellie. Il est... le mec de mes rêves. Il dit des choses incroyables. Et il veut tout savoir sur moi. Il n'est pas du genre à parler sans arrêt de lui comme faisait Liam. Il n'essaie pas de me faire croire qu'il est Monsieur Je-suis-à-l'aise-dans-la-vie. Il me confie des tas de trucs sur lui :

comme il est timide, comme il a peur d'un tas de choses... Il dit que, si on finit par se rencontrer, il se retrouvera sûrement muet comme une carpe et incapable de trouver la moindre chose à raconter.

— Tu ne vas pas le rencontrer, quand même ? je demande, tous mes signaux d'alerte au rouge.

— Non, non, bien sûr que non, répond Nadine en hâte. Ne t'inquiète pas comme ça, Ellie. Il est formidable, vraiment. Regarde, je vais te montrer.

Elle rallume l'ordinateur et me trouve quelques-uns de ses premiers messages. Et c'est vrai qu'il a l'air charmant. Il bavarde interminablement sur le magazine *Xanadu* et sur ce que signifie pour lui la *fantasy* et comment il a lu cinq fois de suite *Le Seigneur des anneaux*, mais c'est un livre de garçons tandis que *Xanadu* est génial parce que ça parle de filles et que, lui, il adore les filles. Il continue en racontant qu'il avait toujours rêvé d'une certaine fille depuis qu'il avait douze ans, une inconnue timide et gothique avec laquelle il pourrait tout partager. Il ne veut pas se montrer trop pressant ni précipiter les choses, mais il a le sentiment que Nadine est cette fille-là, mais en mieux encore, parce qu'elle est tellement belle, bien plus jolie que l'actrice qui joue le personnage de Xanadu dans la série télé...

— Après, il passe à des trucs vraiment personnels. Je te montre pas, Ellie. Même à Magda, il y a des trucs que je n'ai pas montrés.

— Oh, allez, Nadine, je t'en prie !

Alors, elle cède. Je lis, le cœur battant. Une partie de moi s'obstine à penser que c'est fou. Voilà un parfait inconnu qui écrit un tas de choses intimes à Nadine qui n'a que quatorze ans, nom d'un chien. Mais il écrit vraiment bien. Ce n'est pas du tout sordide, c'est plein de tendresse, c'est excitant et romantique. Le genre de choses que j'aimerais tellement tellement tellement que Russell me dise...

10
Les filles pleurent quand
leur petit ami ne comprend rien

— Oh, Ellie, je t'aime !

Baisers.

— Oh, Ellie, je t'aime !

Encore des baisers.

— Oh, Ellie, je t'aime ! Je t'en prie.

Plus que des baisers.

— Oh, Ellie, je t'aime ! Je t'en prie, je t'en prie, je t'en prie...

Je me débats. On boude. On s'embrasse à nouveau. Parfois juste pour se dire au revoir. Parfois on recommence tout le cirque. Ça devient un peu... lassant.

Non, pas du tout ! Qu'est-ce qui me prend ? J'aime Russell. Pour moi, c'est le seul garçon au monde. Je porte sa bague tout le temps. C'est juste qu'on retombe dans la même petite routine chaque fois qu'on se retrouve. Et que Russell dit toujours, mais vraiment toujours, la même chose. Je ne peux pas m'empêcher de regretter qu'il ne soit pas aussi inventif que le Ellis de Nadine. Dans ma tête, j'imagine un scénario complètement différent, avec Russell qui dit et même qui fait les choses les plus inattendues et les plus délicieuses. Par comparaison, nos petites séances de bécotage paraissent tellement pitoyables. Non, pas pitoyables. Voilà que je recommence à faire la difficile. Ce n'est pas comme si moi, j'étais géniale question romantisme ou pour faire des choses merveilleuses pour Russell. Il y a une chose qu'il ne cesse de me réclamer et je cède presque, mais au dernier moment, je ne peux pas m'empêcher d'avoir un fou rire. Ça perturbe beaucoup Russell et moi, je ne peux plus m'arrêter de rire.

— Faut-il toujours que tu te marres autant, Ellie ? me demande-t-il, exaspéré.

— Ah ! je suis une fille. Toutes les filles se marrent. C'est compris dans le prix.

— Oui, mais il y a des filles qui savent quand il faut montrer un peu de sérieux, réplique Russell.

— Eh bien, va donc voir une de ces filles-là !
je riposte en commençant à faire la tête.

— Tu sais très bien que tu es la seule fille au
monde qui compte pour moi, dit Russell.

Je me calme et je l'embrasse amoureusement. Il
est tellement gentil. C'est seulement que je voudrais bien qu'il ne passe pas son temps à tenter de
me pousser à faire des choses que je ne veux pas.
Bon, il y a des fois où j'en ai autant envie que lui,
mais, je ne me sens pas tout à fait prête pour ce
type de relation.

— Julie, la copine de Jeff, est d'accord. Et
Jamie et Big Mac l'ont fait avec des tonnes de
filles.

— C'est ce qu'ils disent, je rétorque, énervée.
Est-ce que tu discutes de notre vie amoureuse
avec tous tes copains de classe ?

— Non ! proteste Russell bien qu'il ait légèrement rougi. De toute façon, je sais très bien que
tu racontes tout à Nadine et Magda, alors arrête
d'être aussi hypocrite.

— Je ne leur raconte rien. En tout cas, pas
grand-chose. Et largement pas autant que ce
qu'elles me disent, elles. Tu devrais entendre certaines choses qu'Ellis déclare à Nadine !

— Et Magda ? Avec qui elle sort en ce
moment ?

— Avec personne. Elle envisageait de se remettre avec Greg, mais elle ne le trouve pas assez sensible. Son hamster est mort dans des conditions épouvantables et Greg a voulu lui donner tout de suite des bébés, Praline et Guimauve, mais Magda dit que son deuil n'est pas terminé et qu'il n'est pas question pour elle d'avoir d'autres hamsters pour l'instant. Je crois qu'elle n'a aucune envie non plus de s'impliquer dans une relation avec Greg.

— Parfait, dit Russell. Parce que Big Mac fait une grande fête pour son anniversaire et presque tous les types de ma classe y vont, mais côté filles, il y a un manque flagrant.

— Magda n'est pas du tout ce genre de filles, je réponds d'un ton farouche. Je sais comment est ton pote Big Mac.

— Non, non, c'est une fête convenable, des plus respectables, avec les parents dans les parages, je te le jure. J'ai promis à Big Mac que nous irions. T'es d'accord, non ?

— Tu aurais pu me poser la question d'abord. Tu ne me dis jamais rien, Russell. Comme ce concours de dessin...

— Oh lâche-moi, Ellie ! D'accord, d'accord, j'ai compris. Je suis désolé, j'aurais dû t'en parler plus tôt. N'empêche, des concours, y en aura encore d'autres.

— Mais plus question que tu t'appropries mon Ellie-l'Éléphant, je déclare en lui tapant sur le nez.

— Ce n'est pas *ton* éléphant. N'importe qui peut dessiner un bon dieu d'éléphant.

— Pas une mignonne femelle avec une trompe tordue et des ongles de pied vernis. C'est Ellie-l'Éléphant. Mon invention.

Je tape un peu plus fort.

— Aïe ! Arrêtez, mademoiselle ! me dit Russell en me saisissant par les poignets.

Nous nous battons pour rire, d'abord en jouant... mais Russell redevient sérieux.

— Oh, Ellie, je t'aime ! Je t'en prie.

— Russell ! Change de disque, il est rayé.

— Écoute, si je gagne le concours, je partage le prix avec toi, étant donné que tu insistes pour être l'inventeur de cet idiot d'éléphant.

Voilà qui est gentil et généreux de sa part. Même si je trouve toujours ça gênant. Et je ne veux pas que ce combat de lutteurs dégénère.

— Arrête, Russell. Il faut que je m'en aille. Je dois faire les courses avant que les magasins ne ferment.

— Tu préfères aller traîner dans les magasins que rester avec moi ? demande Russell, en rogne.

— Je ne vais pas dans les magasins pour moi. Je vais acheter à manger pour toute la famille.

Au petit-déjeuner, j'ai dit à Anna que j'irais au supermarché à sa place puisqu'elle est vraiment débordée de travail. Je l'ai dit exprès devant papa. Je savais que ça le toucherait.

— Écoute, on ira tous dimanche, a dit papa. Arrête de me regarder comme ça, Ellie. Inutile de jouer les martyres.

Ça ne marchera pas si on va tous ensemble faire les courses dimanche, en famille. On ne ressemble plus du tout à une famille. Papa et Anna se parlent à peine. Lui passe presque toutes ses soirées dehors. Elle travaille comme une folle et a en permanence le front barré d'un pli d'inquiétude et des cernes noirs sous les yeux. Eggs pleurniche à longueur de temps, alors même qu'Anna lui achète tout le temps des petits cadeaux pour lui faire plaisir. Il a commencé à coller Anna comme un bébé. Je sais qu'elle se fait du souci pour lui. Je n'ai pas envie qu'elle s'inquiète en plus pour moi.

Je fais toutes les courses, même si c'est beaucoup plus pénible que ce que je croyais. Je n'arrive pas à trouver la moitié des trucs. Je suis obligée de faire plusieurs fois le tour des rayons. Après je fais la queue aux caisses pendant des heures. Il n'y a plus qu'une seule femme devant moi. Je commence à sortir tout le bazar de mon chariot et soudain, j'éternue. Je fouille dans ma poche à la recherche d'un mouchoir. Oh non ! Les mouchoirs en papier. Je les ai oubliés.

Je fonce les chercher, mon chariot oscillant dangereusement sur ses roues vacillantes, et je rentre tout droit dans un grand mec blond vêtu d'une blouse blanche et portant une petite toque, en train de remplir un réfrigérateur de cartons de lait. Un carton lui échappe des mains et nous retenons tous les deux notre souffle – rien n'en coule, il n'est pas éventré.

— Comme ça, on va pas rejouer Perrette et le pot au lait, je dis en me demandant pourquoi il me sourit d'un air aussi familier.

Et puis je comprends. Il ne s'agit pas de n'importe quel grand mec blond. C'est l'Homme-de-mes-rêves, le garçon contre lequel je me heurte systématiquement sur le chemin du collège. Et voilà que je viens encore de le faire.

— Je suis désolée ! Franchement, je ne passe pourtant pas mon temps à percuter les gens !

— Seulement si je suis dans les parages !

— Je ne savais pas que tu travaillais ici.

— Ben, je ne me sens pas exactement un vrai Joe Cool dans cette tenue, dit-il en inclinant sa drôle de toque hygiénique selon un angle amusant. Mais pour l'instant, c'est un petit boulot qui me convient. Je m'offre une année sabbatique avant de démarrer la fac.

— Moi aussi, j'aurai une année libre, je réponds. Avec mes copines, on a déjà tout organisé. Six mois de travail et ensuite six mois à voyager...

J'ai envie d'aller dans un endroit merveilleux, comme l'Australie. Nadine est plus attirée par un endroit exotique, comme l'Inde. Quant à Magda, elle veut louer une voiture et parcourir l'Amérique – si elle a obtenu son permis de conduire, évidemment.

Je lui raconte tout ça et il écoute poliment, mais je vois bien qu'il se dit : « Oui, bon, peut-être. » Il me parle du mois qu'il a passé avec une carte Eurorail, à camper partout. Le camping, ça ne me tente guère. Avant d'acheter notre cottage au pays de Galles, on campait toujours. C'était tellement humide et sinistre ! Mon sac de couchage était plein de fourmis et je suis à peu près sûre qu'un jour, une souris m'a cavalé sur la tête pendant mon sommeil. Il ne s'agissait peut-être que de mes propres cheveux, mais ça ne m'a pas empêchée de crier comme un putois.

Je raconte tout ça à l'Homme-de-mes-rêves et il rit. Et puis je lève les yeux et je vois Russell qui nous regarde, alors qu'on s'est dit au revoir une demi-heure auparavant.

— Russell ! Qu'est-ce que tu fais là ?

— Ne t'inquiète pas. Je ne voudrais pas vous interrompre, répond-il avec aigreur.

— De toute façon, il faut que j'y retourne, dit aussitôt l'Homme-de-mes-rêves. C'est lui ton petit ami ? ajoute-t-il en se penchant vers moi. Il est charmant.

Mais l'attitude de Russell n'a rien de charmant. Il s'éloigne à si grands pas que je suis obligée de galoper derrière lui ; mon chariot fou vire à droite et à gauche, les petites vieilles dames et les mères accompagnées d'enfants l'esquivent au péril de leur vie.

— Russell, attends s'il te plaît ! je braille, énervée. Qu'est-ce que tu fais là ?

— Je me suis trouvé méchant de t'abandonner pour faire seule toutes ces courses. J'ai pensé que le moins que je pouvais faire, c'était de venir te rejoindre pour t'aider à tout porter. Je n'avais pas la moindre idée de la raison qui te poussait à avoir brusquement envie de te conduire comme la Wonder Woman du supermarché.

— Quoi ? je dis, les yeux écarquillés.

— Me fais pas le coup des grands yeux innocents, Ellie ! J'ignorais que tu avais une histoire avec ce type qui travaille ici.

J'éclate de rire, ce qui rend Russell encore plus furieux.

— Oh, Russell, écoute ; je le connais à peine.

— Ah oui ? La façon dont il te regardait me donne la nausée. Manifestement, tu le branches un max.

— La seule chose que je sais de lui, c'est qu'il est homo.

C'est maintenant le tour de Russell de rester planté, les yeux écarquillés.

— Quoi ?

— Il est homo, Russell. Et si quelqu'un lui plaît, c'est toi. Il m'a dit qu'il te trouvait charmant. On dirait bien que tu l'as séduit.

— Bon. D'accord, marmonne Russell qui a rougi. C'est bien. Mais j'espère que tu lui as bien fait comprendre que tu es ma copine.

— À te voir, on comprenait que tu étais vraiment jaloux, je dis.

— Mais bien sûr que non. Je croyais simplement que tu étais en train de te payer ma tête.

— Ce qui n'était pas le cas.

— C'est vrai.

— Alors, on est toujours amis ?

— On est plus que ça, andouille, répond Russell.

Il me prend la main et fait tourner l'anneau avec amour autour de mon doigt.

Il m'aide à porter les courses jusqu'à la maison. Anna nous en est très reconnaissante. Russell est en train de boire du thé avec nous quand papa arrive, de bonne heure pour la première fois depuis un siècle. Il apporte un énorme carton d'épicerie.

— Papa, je suis allée au supermarché ! je m'écrie.

— Parfait, on ne manquera plus ni de beurre ni de mouchoirs en papier, répond-il.

— Merci d'avoir rapporté tout ça, dit Anna en fouillant dans son sac. Combien ça t'a coûté ? Je vais te rembourser sur l'argent de la maison.

— Nom d'un chien, je peux faire quelques courses ! Je gagne encore ma vie. Peut-être pas aussi bien que toi, mais ça va encore, réplique sèchement papa.

C'est désespéré. J'ai cru qu'ils allaient pouvoir se réconcilier mais les voilà repartis à se haïr, même s'ils sont obligés de se montrer polis devant

Russell – d'une politesse polaire. J'aide Anna à déballer le deuxième lot et j'ouvre le paquet de mouchoirs de papa en éternuant à nouveau. J'espère que je n'ai pas attrapé le rhume d'Eggs. Lui, il n'a plus le nez qui coule mais il tousse tout le temps.

La conversation entre Russell et papa manque pour le moins d'entrain, surtout quand Russell se met à raconter que Cynthia s'est empressée d'acheter un pull-over signé Anna Allard. Papa ne répond plus que par monosyllabes. Russell se rend compte qu'il est en terrain mouvant et cherche un peu de solidité en évoquant le concours de dessin. Il a l'audace de se vanter de son personnage d'éléphant.

— *Mon* éléphant, je marmonne.

— Ellie, soupire Russell, je t'ai dit que, si je gagnais, je partagerais cinquante-cinquante avec toi. Mais ce n'est pas *ton* éléphant, c'est *mon* personnage.

— N'empêche, Ellie a toujours dessiné des petits éléphants depuis son plus jeune âge, dit papa en buvant le thé qu'Anna lui a servi, sans même lui accorder un regard. Pourquoi n'as-tu pas fait toi-même ton éléphant, Ellie ?

— Oh, il était trop tard pour qu'elle participe au concours, répond Russell comme si j'avais été simplement trop désinvolte pour faire les choses à temps.

— Non, j'ai envoyé quelque chose, je réplique. Mais pas des éléphants. J'ai dessiné une petite souris bleue.

— Pas Myrtille ? me demande papa en relevant la tête.

— Si.

— S'agit-il d'un autre de tes personnages personnels ? demande Russell. Je ne peux donc plus dessiner de souris sans que tu en fasses un fromage ? Ah ah ! Tu devrais peut-être prévenir qu'ils fassent gaffe aussi chez Walt Disney !

J'ignore Russell. Je regarde papa. J'espère qu'il va se taire. Mais non.

— Myrtille a été créée par la mère d'Ellie, dit-il.

Russell regarde Anna.

— Non, sa vraie mère.

Anna tressaille. Je ne crois pas que papa voulait être méchant. Soudain, son visage s'adoucit.

— Elle a inventé ce personnage de Myrtille quand Ellie était petite. Ellie refusait de dormir tant que sa maman ne lui avait pas raconté une aventure de Myrtille.

— On les faisait ensemble, papa. Et j'ai toujours dessiné cette souris. Au début, je copiais celles de maman mais après, je me suis lancée.

— Alors, tu as copié les dessins de ta mère pour le concours ! crie Russell. Espèce de petite hypocrite ! Toutes ces histoires parce que j'ai copié ton Ellie-l'Éléphant. Et en plus, c'est même pas vrai, je t'ai pas copiée.

— Je n'ai pas copié les dessins de ma mère.

— Tu viens juste de l'avouer devant tout le monde, insiste Russell.

— C'était quand j'étais petite. J'ai réinventé Myrtille. Elle ne ressemble plus du tout à la petite souris qu'avait dessinée maman, plus maintenant. C'est la mienne, je réplique, sur la défensive.

— Tu parles ! Si tu as utilisé les dessins de ta mère, tu as vraiment triché, déclare papa.

J'ai envie de lui donner un coup de pied. Anna aussi apparemment.

— Ne sois pas aussi injuste ! Ellie s'est simplement servie d'un personnage de sa petite enfance comme point de départ de son propre travail, dit-elle. Elle n'a absolument pas triché. Comment peux-tu dire une chose pareille à ta propre fille ! Ça va pas la tête ou quoi ?

— Je suis jaloux, pas vrai ? Ou du moins, c'est ce que pense ma précieuse fille !

— Papa ! De toute façon, cet idiot de

concours, je ne remplis même pas les conditions pour y participer. J'ai envoyé mon dossier trop tard. Si ça se trouve, ils vont purement et simplement mettre mon travail à la poubelle.

Sais-tu vivre de façon cool ?

Ellie est du genre stressée, il est vrai que sa vie n'est pas facile tous les jours... Mais elle va devoir apprendre à gérer tout ça, car le stress peut très vite devenir un réel problème... Et toi, fais-tu partie de ces personnes ultra speed ou sais-tu vivre de façon cool ?

1. Le matin, sur la route du chemin de l'école, tu marches :
- ● très vite (tu cours même !) car tu crois toujours que tu vas être en retard.
- ▲ à une allure normale, fidèle à toi-même.
- ■ lentement, le temps de te réveiller.

2. Tes devoirs :
- ● sont toujours finis bien en avance : tu es très organisée, ça te rassure.
- ▲ tu les fais quand tu peux, mais ils sont toujours prêts à temps !
- ■ sont rarement faits : tu n'en as pas le temps, entre tes copines et tes loisirs...

3. Ta chambre :
- ● est toujours nickel et bien rangée.
- ▲ est régulièrement inspectée par ta mère, donc tu essaies de la garder présentable.
- ■ est un bordel inimaginable, d'ailleurs personne n'y rentre tellement on ne sait pas où mettre les pieds !

4. Le yoga :
- ● c'est un truc pour les gens qui sont zen, donc pas pour toi !
- ▲ ça doit être super relaxant, d'ailleurs tu comptes bien t'y mettre.
- ■ tu es une adepte depuis un moment déjà...

5. *Ton voisin de classe ne cesse de taper du pied :*

● tu ne peux plus te retenir et lui cries ouvertement qu'il t'agace.

▲ tu lui fais remarquer gentiment que c'est assez stressant.

■ tu ne le remarques même pas car tu écoutes ton lecteur mp3 en fond.

6. *Le reggae :*

● c'est démodé, mais qui écoute encore ce genre de trucs ?

▲ c'est sympa, mais tu n'écouterais pas ça 24/24h.

■ ça, c'est de la vraie musique ! C'est cool et entraînant, tout ce que tu aimes !

7. *Ton argent de poche :*

● tu l'économises car tu as calculé qu'avec quatre mois d'argent de poche tu pourrais te payer la veste que tu as repérée.

▲ tu y fais attention mais t'en sers pour te faire plaisir, pas la peine d'y réfléchir pendant des mois.

■ tu le dilapides sans même t'en rendre compte : c'est fait pour se faire plaisir, non ?

8. *Une amie est en retard à un rendez-vous, tu l'attends :*

● elle aurait pu appeler ; tu ne vas pas te gêner pour lui rappeler ce qu'est la ponctualité, dès qu'elle montrera le bout de son nez !

▲ elle exagère, mais tu ne vas pas en faire une histoire ! Tu la charries à ce sujet mais ne lui prends pas la tête avec ça.

■ pas grave, vous avez toute l'après-midi devant vous.

9. *Portes-tu une montre ?*

● toujours, même en vacances ! Lorsque tu l'oublies, tu te sens perdue.

▲ en général oui, c'est plus pratique. Mais pas le week-end !

■ non, jamais. D'ailleurs, c'est peut-être pour ça que tu es toujours en retard !

10. *Tes parents te reprochent souvent ton tempérament trop :*

● anxieux et prévoyant.

▲ imperturbable.

■ cool et inconscient.

Résultats

Tu obtiens un maximum de ● :

Tu es une stressée de la vie! Tu ne cesses de courir partout, ton agenda est overbooké : pour réussir à te voir, il faut prendre rendez-vous deux semaines à l'avance! Les interros te paniquent, le moindre imprévu te bouleverse... Stop! Arrête-toi de temps en temps pour respirer et prendre soin de toi!

Tu obtiens un maximum de ▲ :

Tu es d'humeur plutôt constante, on te le dit souvent. Tu sais être *speed* en temps voulu, mais tu sais également te ménager des pauses pour te ressourcer. De ce fait, on te trouve facile à vivre. Continue comme ça, tu as trouvé un rythme sain!

Tu obtiens un maximum de ■ :

Tu es trop cool! Ta nonchalance te vaut de nombreuses remarques, de tes profs comme de tes parents... Toi, au moins, tu sais rester zen : pourquoi stresser? Est-ce que ça apporte quelque chose aux gens? «Dans la vie faut pas s'en faire...», c'est ta devise. Pour ta santé, c'est très bien, mais dans la vie, il y a des moments où il est préférable d'être un peu plus dynamique (le boulot, les exams)... Apprends à te remuer quand il le faut!

11
Les filles pleurent quand leurs rêves se réalisent !

* * * * * * * * *

Je suis mourante. Je crève de chaud et pourtant je frissonne. J'ai le nez complètement bouché, la gorge à vif, la tête en compote et j'ai du mal à respirer. Je sais que je suis vraiment vraiment malade. Je suis certaine d'avoir une pneumonie. Une double pneumonie. Non, triple. Du calme, je n'ai que deux poumons. J'ai l'impression qu'ils sont tous les deux gonflés comme des ballons, prêts à exploser.

Tout le monde pense que j'ai simplement attrapé le rhume d'Eggs. Mais ce n'est pas un rhume. Comment pourrais-je me sentir aussi mal avec un simple rhume ? Et pourtant, personne ne me montre la moindre compassion. Papa et Anna m'ont envoyée d'office en cours hier, ce qui était vraiment injuste. Et inutile. J'étais incapable de me concentrer et c'est à peine si j'ai réussi à ramper sur le terrain de hockey. D'accord, d'accord, je sais que je suis généralement consternante en cours de gym mais, même en dessin, ma matière préférée, je n'ai rien réussi à faire.

On est toujours coincées dans la phase nature morte. Moi, je préfère plutôt la version nature animée, même si je trouve que M. Windsor fait de son mieux pour nous rendre ça intéressant. Il nous a montré des reproductions de ces étranges et magnifiques tableaux espagnols du dix-septième siècle, qui représentent des choux suspendus, et ensuite il a installé toute une rangée de vrais choux pour qu'on les copie. Magda a tenté de lancer un chou contre l'autre pour voir si ça allait faire ding dong, comme dans ces jeux pour cadres stressés, mais ça n'a fait qu'un triste shpluck ! et toutes les ficelles se sont emmêlées. M. Windsor a dit que, si on ne se calmait pas immédiatement, il allait nous arracher la tête pour la mettre à la place des choux.

Alors on s'est calmées, plus ou moins, même si Magda n'arrêtait pas de se plaindre que l'odeur de chou lui donnait mal au cœur. Moi, je ne sentais rien du tout mais j'avais quand même la nausée.

J'ai fait des efforts au début mais mes choux ressemblaient à des roses vertes géantes et j'ai perdu courage. J'ai dessiné en dessous un petit lapin debout sur ses pattes arrière, la bouche ouverte, bavant, en train d'essayer désespérément de sauter pour attraper le festin suspendu. Magda et Nadine ont beaucoup apprécié mon œuvre mais ça n'a pas du tout amusé M. Windsor.

— Nous connaissons tous ton talent pour les personnages de BD, Ellie, mais ça devient un peu trop facile la façon dont tu te rabats sur la BD dès que tu te trouves confrontée à un problème trop ardu.

— Ooh ! a commenté Magda d'un ton moqueur.

— Ça suffit, Magda ! Vous trois, vous commencez à me casser les pieds. Je vais vous séparer si vous continuez comme ça.

— Personne ne pourra jamais nous séparer, a marmonné Magda – mais pas assez fort pour qu'il ait entendu.

— Allez, vas-y, Ellie. Fais disparaître ton lapin et concentre-toi sur les choux. Tu n'as pas du tout bien reproduit la texture des feuilles. Elles paraissent bien trop molles.

C'est moi qui me suis sentie molle toute la journée. Je n'avais aucune envie de voir Russell après les cours. Nadine devait aller chez Magda pour passer en revue toutes leurs fringues et décider quoi porter à la fête de Big Mac. Aucun des garçons présents n'intéresse Nadine. Elle est toujours branchée à fond sur Ellis le fan de *Xanadu,* qui continue à lui envoyer des e-mails. Elle viendra quand même, histoire de soutenir le moral de Magda.

— Moi, je peux te soutenir le moral, Magda, je dis un peu blessée.

— Oui, mais tu seras assise dans un coin à bécoter Russell toute la soirée, non ?

— Non. En tout cas, pas tout le temps. Et puis, on va danser...

— Oh là là, Russell danse ? demande Nadine.

Je lui décoche un regard assassin.

— Pardon, pardon ! dit-elle en hâte.

Nous sommes redevenues les meilleures amies, mais la situation est encore fragile. Chaque fois que je surprends Nadine à me regarder, je me demande si elle n'est pas en train de penser, GROSSE, GROSSE, GROSSE.

J'ai toujours affirmé que j'aime autant Nadine que Magda, mais, secrètement, j'ai toujours préféré Nadine un poil plus, simplement parce qu'on se connaît depuis qu'on a quatre ans et qu'on a partagé tant de choses. Mais maintenant, il m'arrive de penser que Magda sait se montrer un peu plus agréable. Nadine est parfois une telle peste. Presque trop rebelle. J'avais trouvé qu'elle était folle de sortir avec Liam. Et puis il y avait eu cette fois où elle avait insisté pour qu'on monte dans la camionnette de ces types terrifiants, quand on avait voulu assister au concert de Claudie[1]. Et là, elle est devenue carrément cinglée, à confier tout un tas de trucs intimes à un parfait inconnu.

J'ai essayé de lui expliquer une fois de plus à quel point cela peut être dangereux, mais elle s'est contentée de rire. Elle passe son temps à se moquer de moi, maintenant. Elle se conduit comme si j'étais devenue la reine des casse-pieds depuis que je sors avec Russell. Ce qui est parfaitement ridicule, n'est-ce pas ?

Hier soir, je n'ai pas passé un moment formidable avec Russell. Je me sentais mal fichue mais il avait décidé d'aller voir un film fantastique plein de bonshommes casqués et poitrine nue qui zappaient les gens du bout de leur doigt. Il n'y avait pratiquement pas de femmes dans le film, juste quelques filles idiotes vêtues de nuisettes transparentes qui poussaient des cris et une vieille sorcière terrifiante qui a fini par mourir noyée dans

---

1. Voir *Trois Filles et douze coups de minuit*.

un océan de serpents. J'ai trouvé ce film immonde mais Russell a tout gobé. Je l'ai énervé quand je me suis mise à me plaindre, à soupirer et à renifler. Il m'a sermonnée pendant des heures après, en me parlant de cette bande dessinée culte à partir duquel le film a été fait.

— Tu ferais bien de t'y intéresser, Ellie, puisque tu veux te lancer dans l'illustration quand tu seras plus grande. Les romans en BD, c'est là où tout se joue. Personne ne veut plus de ces gentils albums qui racontent des histoires de petite souris.

C'était tellement offensant – aussi bien pour moi que pour ma mère – que je suis partie sans même l'embrasser pour lui dire au revoir. De toute façon, il ne devait pas être très tenté par mes baisers. J'ai les lèvres toutes gercées, le nez rouge et qui coule, ce qui suffit à calmer les ardeurs de l'amoureux le plus passionné qui soit. Ce qu'est Russell.

Les garçons, j'ai du mal à les comprendre. À un moment, il me regarde de haut et il me fait la leçon sur tout, en s'attendant à ce que je lui déclare qu'il est merveilleux. L'instant d'après, il me contemple avec admiration en me traitant comme la fille la plus excitante du monde rien que parce que j'ai deux seins, ces deux appendices que possède la moitié de la population mondiale !

Je voudrais bien que ce soit un vrai ami, comme Magda et Nadine. Même si Nadine n'est plus vraiment une amie très amicale. Elle a toujours été lunatique, depuis qu'elle est toute petite. Heureusement, Magda, elle, est toujours de bonne humeur et on ne s'ennuie jamais avec elle. Elle jacasse un peu trop sur les garçons, le maquillage et les fringues, mais, fondamentalement, on ne peut rêver meilleure amie.

Hier, pour me réconforter, elle m'a apporté un morceau du gâteau au fromage de sa mère. J'ai protesté — sans grande conviction — au sujet des millions de calories à la bouchée.

— C'est au citron, Ellie. Plein de vitamines C. Excellent pour les rhumes. Ce gâteau est un véritable médicament, alors oublie les calories.

C'est ce que j'ai fait. Je dois avouer que je me sentais beaucoup mieux le ventre plein de gâteau au fromage. La mère de Magda est une cuisinière hors pair. Anna se débrouille pas trop mal, mais ces deux derniers mois, elle n'a pas préparé un seul plat, elle s'est contentée de réchauffer des trucs au micro-ondes. Comment pourrait-elle consacrer du temps à la cuisine alors qu'elle est tellement prise par son travail ? Pas de problème pour la mère de Magda. Elle tient le restaurant avec le père de Magda. La cuisine, ça fait partie de sa profession, ce n'est donc pas une source de conflits.

Entre papa et Anna, les conflits sont toujours de mise. Je les entends se disputer dans la cuisine en prenant leur petit-déjeuner, et Eggs est aussi en train de crier.

Je ne me lève pas. Je ne peux pas me lever. Je suis trop malade. Trop trop trop malade.

Je remonte la couverture par-dessus ma tête et je me pelotonne dans ma petite tanière sombre, le souffle court. Je suis en train de m'assoupir quand on frappe à la porte. Je risque un œil hors de la couette. C'est Anna avec un plateau : jus d'orange, café, croissant et une petite grappe de raisin.

— Pour la malade, annonce Anna.

— Tu es un ange, je dis d'une voix rauque en me frottant les yeux. Qu'est-ce que c'est que ça ? j'ajoute en voyant une enveloppe sur le plateau.

— Ce n'est pas l'écriture de Russell ?

— Non, la sienne a davantage de fioritures.

J'ouvre l'enveloppe, déplie la lettre, cherche mes lunettes puis lis. Le temps que j'arrive au bout, la feuille de papier tremble parce que moi-même je suis tremblante.

C'est une lettre de Nicola Sharp, l'illustratrice douée qui dessine tous ces albums *Funky Fairy* que j'adore ! Avant, j'avais toute la collection. Quand j'avais quatre ans, je pensais qu'Ultra-Violette était la petite fée la plus géniale du monde ; je voulais ne porter que des vêtements violets, depuis mes chaussettes jusqu'à ma culotte.

Chère Eleanor Allard,
Je fais partie du jury pour le concours d'albums pour enfants. Je dois te dire d'emblée que tu n'as pas gagné ; nous n'avons même pas encore tenu notre délibération finale. Et tes dessins ne pourront concourir parce qu'ils sont arrivés une semaine après la date de clôture et sans dossier d'inscription. Moi, je pense que tout cela n'a pas la moindre importance mais la société qui finance le concours est incroyablement stricte sur le règlement et insiste pour que ton travail (ainsi que celui de nombreux autres retardataires) ne soit pas pris en compte.

Normalement, je me dirais simplement que c'est dommage et je n'y penserais plus. Mais je ne parviens pas à vous oublier, toi et ta petite souris Myrtille. Je vois beaucoup de dessins réalisés par des enfants ou des jeunes gens, certains sont excellents, mais franchement, je peux t'affirmer que ta

Myrtille est authentiquement originale. Je serais fière de l'avoir inventée moi-même.

Quand tu seras grande, tu seras sûrement illustratrice !

Avec tous mes vœux de succès les plus chaleureux,
Nicola Sharp

Je pousse un tel hurlement qu'Anna lâche le plateau et renverse du café.

— Ellie, chérie, qu'est-ce qu'il y a ?

— Oh Anna... je commence avant de fondre en larmes.

Papa et Eggs arrivent en courant.

— Qu'est-ce qui s'est passé ? Tu t'es brûlée, Ellie ? crie papa.

Anna pose le plateau. Elle regarde la lettre puis me prend dans ses bras.

— Quelle fille géniale tu es ! Regarde ce qu'a écrit Nicola Sharp à propos d'Ellie ! dit-elle en lançant la lettre à papa.

— Nicola Sharp ! C'est la dame qui a inventé la fée Framboise, celle qui souffle dans les framboises, crie Eggs en joignant le geste à la parole, au cas où on n'aurait pas compris.

Papa pose des questions, Anna rit, je pleure, Eggs souffle, on est tous entassés dans ma petite chambre. Comme si on était à nouveau une famille heureuse, les quatre Allard réunis. Mais papa se sent obligé de tout gâcher. Il lit la lettre en hochant la tête.

— Bien joué, Ellie, constate-t-il d'un ton morne.

— Bien joué ? C'est tout ce que tu trouves à dire ? s'exclame Anna. Allez, c'est vraiment génial ! C'est absolument incroyable que Nicola Sharp ait remarqué le travail d'Ellie parmi des centaines d'autres, peut-être même des milliers ! Elle a dit qu'elle aurait bien voulu avoir inventé ta petite Myrtille elle-même !

— Mais ce n'est pas la petite Myrtille d'Ellie, intervient papa. C'est Ros qui l'a inventée.

Silence. Papa parle rarement de maman, et surtout pas en l'appelant par son prénom. Il prononce cette unique syllabe avec une douceur empreinte de tristesse. Anna tressaille.

Je regarde papa fixement. J'ai l'impression qu'il m'a arraché tout mon bonheur. Mon rhume fait un retour en force. J'ai mal partout.

— Mais Ellie a complètement transformé Myrtille-la-Souris, tu le sais très bien ! réplique Anna sèchement.

Papa relit la lettre de Nicola Sharp. Il en cite un seul mot : « Original ».

Ça suffit. Je sais que papa a raison... dans un sens.

Anna discute pied à pied en soutenant qu'il a tort, complètement tort.

— Je sais que le fait que ces bêtises de pulls remportent du succès te pose d'énormes problèmes, mais je suis carrément sidérée que tu ne sois pas assez grand pour être heureux que ta propre fille ait autant de talent.

Papa souffle bruyamment. Anna est dans une rage folle, elle a le souffle court, elle est rouge. Eggs a peur. Il glisse sa main dans la mienne. Je la serre fort, parce que j'ai besoin de me raccrocher à lui pour ne pas sombrer.

Tout est gâché. Papa a raison. Je n'ai pas inventé Myrtille. Mais j'ai l'impression de l'avoir fait.

Il faut que j'en discute avec quelqu'un. J'appelle Magda. J'attends un bon moment avant d'essayer de la joindre, parce qu'elle aime bien faire la grasse matinée le week-end. En fait, les grasses matinées, ça lui plairait tous les jours de la semaine, mais généralement sa mère l'arrache à la douceur de sa couette pour qu'elle aille en cours. J'attends midi, heure à laquelle il me semble que j'ai toutes les chances de trouver Magda bien réveillée et en forme.

J'ai attendu trop longtemps. Elle est déjà partie.

— Je pense qu'elle est chez Nadine, Ellie, me dit sa mère.

— Oh d'accord. Parfait.

— Pourquoi ne passes-tu pas chez Nadine toi aussi, ma chérie ?

Pourquoi ? Parce qu'elles ne m'ont pas invitée. Pourquoi ne m'ont-elles pas prévenue qu'elles se voyaient ce samedi matin ? On se retrouve toujours toutes les trois. Mais maintenant notre trio est devenu leur duo. Magda et Nadine ont formé un duo exclusif derrière mon dos.

Je pourrais bien faire un tour chez Nadine... Mais si jamais elles se regardent en chuchotant et si elles font mine que je suis une vraie intruse ?

Ce n'est pas supportable. Tout s'est passé tellement vite. On dirait que je ne compte plus pour elles.

D'accord, qu'elles aillent se faire voir. Je sais qui tient vraiment à moi. Qui m'aime davantage que n'importe qui d'autre.

Je touche ma bague et j'appelle Russell.

12
Les filles pleurent quand
leur petit ami les trahit

Cette fête est une grosse erreur. Pour commencer, je ne peux pas blairer ce Big Mac. C'est vraiment un gros modèle, un rustaud prétentieux et grossier qui passe son temps à se vanter. Niveau matériel, il a largement de quoi. Sa maison est gigantesque, une demeure géorgienne de trois étages qui ressemble plutôt à un petit château. Avec des meubles incroyables. J'ai l'impression d'être entrée dans un magazine de déco.

Les parents de Big Mac disparaissent de bonne heure. J'espère seulement que personne ne va écraser son joint sur la porcelaine de Chine ou vomir sur le tapis de Turquie. Toutes les chances sont réunies puisque les boissons coulent à flots.

Je pensais qu'il y aurait un punch aux fruits à peine alcoolisé et quelques canettes de bière, mais on ne trouve que des bouteilles de vodka et les gars sont déjà en train de descendre le liquide incolore comme si c'était du Perrier. Il y a presque uniquement des mecs. Deux petites filles, plâtrées de maquillage, vacillent sur leurs hauts talons. Si on les débarbouillait, on se rendrait sans doute compte qu'elles sont encore à l'école primaire. Manifestement, elles sont de la race petites sœurs et bien décidées à ne pas rater la fête. Les quelques filles de mon âge se divisent nettement en deux catégories : des filles effrayantes avec des hauts minuscules qui leur dénudent le nombril et qui descendent la vodka avec encore plus d'aplomb que les garçons, et des filles tristes sorties tout droit des années 50, avec des robes de fête très dadame.

Je pense que Nadine et Magda vont être folles de colère contre moi qui leur ai proposé de venir. Tant pis, je suis encore folle de rage contre elles qui se sont vues sans moi.

Je suis folle de rage contre Russell également. Je suis serrée dans un fauteuil contre lui, il me tient solidement comme s'il m'exhibait devant tous ses copains. La Petite Amie. Il n'a pas l'air particulièrement fier de moi. Pourtant, je me suis donné du mal pour me préparer. J'ai sélectionné et essayé les trois quarts de ma garde-robe, avant de tout rejeter. J'ai même fait un raid dans le placard d'Anna pour essayer sa robe ample en velours rouge. Enfin, elle est ample sur Anna et ignoblement serrée sur moi. Et peut-être un peu trop habillée. J'ai décidé que c'était nul d'avoir l'air de m'être donné autant de mal, alors j'ai fini par choisir un grand pull tout doux. Ce n'est pas une création d'Anna, il est noir uni avec une encolure en V assez décolletée. Un peu trop peut-être, alors j'ai mis en dessous un petit débardeur noir. Je suis moulée dans mon jean noir. Chaque fois que je le mets, je me sens un peu plus serrée, mais ça va encore, tout juste. J'ai mes boots noires pointues, elles me font déjà mal mais pas question de les enlever parce que j'ai peur de puer des pieds.

Je me trouve finalement assez présentable, d'autant que je ne me suis toujours pas débarrassée de ce fichu rhume, mais Russell n'a pas eu l'air enthousiaste quand il m'a vue.

— Salut, Ellie. Tu n'es pas encore habillée ?

— Mais si, j'ai répliqué sèchement.

— Bon. D'accord. Allons-y, alors, a-t-il répondu en tripotant le col de sa chemise.

— Tu as une nouvelle chemise, Russell ? Elle est bien.

Elle n'était pas géniale – en soie bleu marine, un peu trop brillante et vulgaire pour mon goût –, mais j'essayais d'être généreuse.

— C'est Cynthia qui me l'a offerte, a marmonné Russell en se tortillant. Je la trouve moche.

— Mais non, elle est jolie.

J'ai attendu.

— Tu trouves que je suis bien ? ai-je fini par demander.

— Quoi ? Ouais. Parfait.

Manifestement, je ne l'impressionnais pas.

— Tu ne trouves pas que je suis un peu trop... discrète ?

J'avais envie d'être rassurée. Mais j'ai dû m'en passer.

— Euh, c'est une fête. Tu pourrais peut-être mettre quelque chose d'un peu plus... paillettes ?

J'ai eu envie de le frapper.

— Les paillettes, c'est pas mon genre, Russell. Qu'est-ce que tu proposes ? Un bikini argenté et une tiare ?

— D'accord, inutile de te mettre en rogne. Je pensais seulement... pourquoi pas une jupe ? Et des hauts talons, tu sais, pour montrer un peu tes jambes ? N'y pensons plus. Viens, on s'en va.

J'ai continué à attendre.

— Quoi ?

— Tu ne veux pas voir la lettre que m'a écrite Nicola Sharp ?

— Tu me l'as lue au téléphone. Félicitations.

Il m'embrasse vite fait sur la joue, le genre de baiser qu'on réserve aux vieilles tantes.

Je ne peux pas y croire. Je m'attendais à ce que Russell soit vraiment heureux pour moi. Il a à peine réagi quand je lui ai tout raconté au téléphone. Contrairement à papa, il ne m'a pas fait remarquer que Myrtille n'était pas ma création et qu'on ne pouvait donc pas la considérer comme une invention originale. Quand je suis arrivée au bout de mon histoire, il a seulement dit : « C'est formidable, Ellie », très désinvolte, comme si c'était une chose des plus mineures. Mais si c'était lui qui avait reçu une lettre personnelle de compliments et d'encouragement de Nicola Sharp, il aurait été aux anges.

Moi, j'aurais été folle de joie pour lui. D'autant que ce n'est pas comme si j'avais gagné le concours et pas lui. Russell peut très bien encore remporter le prix.

— Attends, Russell, je parie que tu vas le gagner, ce concours, je chuchote en me blottissant contre lui pour me montrer tendre devant ses amis.

— Faut-il que tu sois aussi condescendante, Ellie ? siffle Russell. Boucle-la sur ce sujet !

Il se penche pour m'embrasser brutalement en enfonçant sa langue au fond de ma gorge. On entend des cris et des applaudissements bruyants par-derrière. Je me dégage brusquement, hors de moi.

— Ne t'éloigne pas, Ellie, murmure Russell.

— Si tu recommences, je te bouffe la langue. Tu crois que tu peux m'insulter et ensuite me baver dessus, rien que pour impressionner tes crétins d'amis ?

Je chuchote pour que personne n'entende, mais le langage du corps est expressif.

— Ouh ouh ! On dirait que les tourtereaux ont une petite querelle ! hurle Big Mac.

Il se lance dans une série de bruits immondes.

— Il serait peut-être temps de grandir, je lâche.

Je m'extirpe du fauteuil et je vais me chercher quelque chose à boire. Une vodka. C'est la première fois de ma vie que je bois de la vodka. Je goûte avec précaution. Ça n'est pas trop mauvais, surtout avec du tonic. Ça n'a pas vraiment de goût. J'avale tout d'un coup et j'en prends une autre.

Je sais que ce n'est pas raisonnable mais je m'en fiche. Je n'irai pas me rasseoir à côté de Russell, pas avant qu'il ne se soit excusé. Mais ça ne semble pas être au programme. Il m'ignore ostensiblement et raconte des blagues salaces avec Big Mac et ses potes. Ils éclatent tous de rire. Ils sont vraiment puérils. Peut-être que Nadine a raison quand elle dit ne pas vouloir sortir avec des lycéens.

On dirait bien qu'elles ne vont pas venir, Nadine et Magda. Je ne peux pas leur en vouloir. Non, attendez ! J'entends leurs voix et les bracelets en argent de Nadine qui s'entrechoquent. Elles font leur entrée au salon – et un concert de sifflements se déchaîne. Elles rougissent toutes les deux, même si elles s'efforcent d'avoir l'air hyper-décontractées. Elles ont une dégaine fabuleuse. Nadine porte un haut moulant en dentelle noire et une jupe bizarrement asymétrique, avec des chaussures à boucles très hautes avec des bouts pointus. Magda est vêtue d'un pull-over rouge à encolure décolletée et d'une jupe noire brillante très courte, assortie d'un collant résille noir et d'escarpins à talons noirs également.

— Ce sont les amies d'Ellie ? dit Big Mac d'un ton incrédule. Hé, Russell, t'as pas tiré le bon numéro dans la bande !

Je m'empourpre brutalement et je me verse un autre verre pour m'aider à me calmer. Russell ne dit pas un mot pour me défendre. Il pense sans doute la même chose que Big Mac.

Qu'il aille se faire pendre ! C'est peut-être moi qui n'ai pas choisi le bon lot. Tous ces types sont épouvantables. Je vais aller avec Nadine et Magda et ensemble, on va bien s'amuser.

Sauf que ça ne marche pas comme ça. Magda et Nadine sont cernées par les garçons, Big Mac en première position. Je me retrouve sur le bord et j'essaie de sauter par-dessus la mer d'épaules pour leur parler. Au début, elles ne m'entendent même pas, alors j'élève la voix. Le CD qui tournait s'arrête brusquement et je me retrouve en train de brailler dans une pièce silencieuse. Tout le monde me regarde comme si j'étais folle.

— Tu te sens bien, Ellie ? chuchote Magda en se frayant un chemin parmi la foule de ses admirateurs pour m'entraîner à l'écart.

— Tu es rouge comme une tomate, dit Nadine en nous rejoignant. Et tu as un drôle de regard. Ellie, tu ne serais pas soûle ?

— Non. Enfin... j'ai bu un verre. Peut-être deux.

Je lève mon verre de vodka. On dirait qu'il a

une vie indépendante, il se renverse partout, sur ma manche en laine terne et sur mon jean nul.

— C'est de la vodka, constate Nadine en haussant les sourcils. Et je crois que tu en as bu plus que deux verres, Ellie. Tu ferais bien de faire attention.

C'est vraiment pas à elle de me dire d'arrêter de boire !

— Ferme-la, Nads !

— Tu as la voix pâteuse, Ellie ! remarque Magda.

— Pas du tout ! Ça vous embêterait de me lâcher, toutes les deux ! Venez, on va danser !

— Et Russell ? dit Magda en le regardant.

Jetant autour de lui des regards noirs, Russell est avachi dans le fauteuil et descend de la vodka, lui aussi.

— Quoi, Russell ? je réplique. Je suis pas sa propriété, j'ai le droit d'aller voir ailleurs si l'herbe est plus verte. De toute façon, il aime pas danser.

C'est vrai. Il aime tout ce qui est lent et sirupeux, quand on reste collés sur place à onduler, mais tout ce qui est rapide et déchaîné ne l'intéresse pas. Si j'insiste vraiment, il fait un effort, mais il agite ses bras dans tous les sens genre moulin à vent et il a l'air tellement plouc que c'en est terriblement gênant. Pas question qu'il se produise devant Nadine et Magda. Supporter leur réaction serait au-dessus de mes forces.

Je ne suis pas non plus une danseuse exceptionnelle. Mais ça va, je peux suivre le rythme. Je me suis entraînée devant le miroir et j'ai l'air à peu près à l'aise et décontractée. Cela dit, comparée aux deux autres, je suis une novice.

Nadine danse de façon incroyable. Elle fait des trucs gothiques bizarres, le visage figé comme si elle sortait tout droit du tombeau, mais les mains sur son ventre totalement plat, elle se met à gigoter d'une manière terriblement sexy. Pas aussi sexy que Magda. Elle suit des cours depuis qu'elle a trois ans, alors évidemment elle est géniale dans tous les genres de danses. Ce n'est pas tant la façon dont elle danse, c'est son allure. Elle se rengorge littéralement : les yeux baissés, brusquement, elle relève la tête pour lancer un regard entre ses cils. Elle rejette ses cheveux en arrière, elle ondule des hanches, elle fait ressortir ses fesses, et elle a une dégaine formidable. Si moi je battais des cils en secouant mes boucles indomptables et en remuant mon gros derrière, ça ferait rigoler tout le monde.

Je n'ai aucune envie de rire. J'ai plutôt envie de pleurer. Je suis avec Magda et Nadine mais je me sens loin d'elles. Je me sens loin de moi également.

Comme si j'étais sortie de moi-même pour contempler cette grosse fille triste dont personne ne veut. Russell me regarde d'un air sinistre. Il pense la même chose.

Le physique, c'est pas tout. Je le sais très bien, tout le monde le sait. Quand la musique s'arrêtera, je parlerai à Mags et Naddie de Nicola Sharp qui aime tellement ma petite souris Myrtille. Non, ça va me rendre encore malheureuse, puisque je l'ai volée à ma mère. Elle me manque tellement, ma mère ! Je ne veux plus qu'elle me manque autant, ça fait trop mal.

J'avale plusieurs gorgées de vodka directement à la bouteille. Je ne me sens pas mieux pour autant. Je me sens même de plus en plus mal. Oh, il faut que j'aille aux cabinets. Je sais pas où c'est. La pièce tourne de plus en plus vite. Je ne sais pas où est la sortie. Il faut que je m'en aille sinon je vais vomir devant tout le monde...

— Ellie ?

Russell m'a saisie par les épaules. Il me tire – trop fort – et je trébuche. Alors Magda m'attrape fermement sous un bras, Nadine sous l'autre et ils m'entraînent hors de la pièce.

— Laisse-la-nous, Russell.

Elles m'amènent aux cabinets juste à temps et montent la garde devant la porte. Quand j'ai enfin fini de vomir, elles m'essuient le visage, me donnent une gorgée d'eau et me font entrer dans une chambre. Zut ! J'espère que c'est pas celle de Big Mac ! Elles me font étendre et elles me couvrent de manteaux parce que je tremble.

— Ferme les yeux et dors, Ellie.

— Oui, dors un coup, tu te sentiras beaucoup mieux après.

— Vous êtes tellement gentilles avec moi. Vous m'aimez toujours, alors ? je bafouille d'une voix pathétique.

Magda me caresse les cheveux et Nadine me borde. Elles me disent qu'elles m'aiment et qu'elles sont mes meilleures amies. Et c'est vrai, vrai, vrai.

Russell est mon petit ami. Il est censé prendre soin de moi. Il m'a offert une bague. Mais où est-il ? Il s'en fiche de moi. Les copines, y a que sur elles qu'on peut compter. Y a qu'à elles qu'on peut faire confiance...

Je m'assoupis. Peu de temps après, quelqu'un cherche à m'arracher les manteaux qui me couvrent. Je m'agrippe en grognant.

— Lâche ça, Ellie. Je veux récupérer mon manteau, chuchote Nadine. Je rentre chez moi. Cette fête est nulle. Les lycéens idiots, j'en ai ma claque !

— Et Mags ? je marmonne.

— Oh, elle reste. Elle a l'air de s'amuser, dit Nadine d'une drôle de voix. Tu ferais mieux de te rendormir, Ellie.

Elle se penche vers moi pour m'embrasser. Je suis tellement contente que nous soyons toujours amies. N'empêche, elle s'en va quand même. C'est Magda l'amie qui m'attend, qui prend soin de moi. Elle m'aidera à rentrer chez moi si la situation ne s'est pas arrangée avec Russell.

Je fais tourner sa bague avec énervement autour de mon doigt, en essayant de réfléchir. J'ai peut-être légèrement manqué de tact ? Il a des réactions humaines, après tout. Évidemment, il doit se sentir un peu jaloux. Peut-être que je devrais essayer d'aller me réconcilier avec lui. Il a été méchant avec moi, mais on ne peut pas dire que j'ai eu un comportement agréable ce soir.

Oh, merde, ma tête ! Quand j'ai voulu me lever, j'ai été terrassée par une violente douleur. J'ai à nouveau envie de vomir. Plus jamais jamais jamais de la vie je ne boirai une goutte de vodka.

Je reste allongée sans bouger, cramponnée au bord du lit parce que la pièce tourne à toute vitesse. J'ai l'estomac qui se soulève. Oh non !

Je réussis à quitter le lit et je me dirige vers la porte. Je débarque sur le palier, où je trébuche sur des couples étroitement emmêlés. J'atteins les toilettes juste à temps. Quelqu'un d'autre a vomi avant moi et c'est ignoble. J'espère que personne ne pense que c'est moi.

Je me débrouille pour vomir proprement dans la cuvette mais mes cheveux n'arrêtent pas de me tomber dans la figure. Je suis terrifiée à l'idée qu'il y ait du vomi dedans. Je finis par me plonger la tête dans le lavabo, pour les rincer. Je suis trempée comme une soupe mais, je me sens un peu moins pétée. Je m'essuie comme je peux, mais j'ai très froid. J'espère retrouver mon manteau dans le tas. De toute façon, j'en ai besoin. Je rentre chez moi. Oui, avec Russell et Magda. Il faut que je les retrouve, eux aussi.

Les jambes flageolantes, je sors des cabinets. Ça fait cinq minutes que quelqu'un tambourine à la porte.

— Bon Dieu, mais qu'est-ce que tu fichais là-dedans ? Tu prenais un bain ? demande un type. Ben oui, tu prenais bien un bain, ajoute-t-il en voyant mes cheveux mouillés. Bizarre !

Sans répondre, je pars à la recherche de Magda et Russell. Je dois faire très attention où je pose les pieds. Il y a des couples partout. Je crois qu'ils n'apprécieraient guère que j'allume la lumière. Peut-être que d'autres filles sont arrivées pendant que j'étais en haut. On dirait bien que la chance a tourné pour Big Mac et ses copains.

Je distingue à peine un couple qui s'embrasse avec passion sur l'escalier. Ils sont couchés en travers si bien que je suis obligée de les enjamber.

— Excusez-moi, je dis en levant la jambe.

Mais ma chaussure écrase une main par inadvertance et on entend un grognement.

— Oh désolée... je commence.

Je m'interromps.

Je connais cette voix. Je connais cette main.

C'est Russell.

Russell, mon petit ami, est couché contre une fille et il l'embrasse.

J'ai l'impression que le robinet d'eau froide me coule toujours sur la tête. Je m'immobilise. Lui aussi, d'ailleurs.

La fille ne s'est pas aperçue de ma présence. Elle se blottit davantage contre lui. Puis elle lui donne une petite tape.

— Eh, toi ! Russell ! Tu t'es endormi ?

Oh non !

Je ne peux pas y croire.

C'est Magda.

Comment réagis-tu face à une trahison ?

Comme Ellie, tu surprends ton petit ami en train d'en embrasser une autre lors d'une soirée... Comment vis-tu cette infidélité ?

1. Quelle est ta réaction immédiate ?

● tu le gifles : désolée, c'est parti tout seul !

▲ tu éclates en sanglots et restes plantée là.

■ tu te sauves en courant.

2. Une fois de retour chez toi, tu appelles une copine :

● pour essayer de lui raconter ce qui vient de se passer, mais tu n'arrêtes pas de pleurer.

▲ pour avoir son avis.

■ pour médire sur le dos de la fille qui a osé te faire ça.

3. Racontes-tu ce qui s'est passé à ta mère ?

● immédiatement ! Tu te jettes dans ses bras en larmes.

▲ pas question ! Tu la connais, elle en profiterait pour enfoncer encore plus ton ex...

■ oui, ce qui donne lieu à un violent débat sur la fidélité chez les hommes.

4. Tu t'enfermes dans ta chambre pour :

● te jeter sur ton lit et pleurer toutes les larmes de ton corps.

▲ écouter de la musique ou regarder la télé pour oublier tout ça.

■ exploser de colère.

5. Tu as envie de sortir avec tes copines car :

● tu pourrais peut-être rencontrer quelqu'un d'autre.

▲ tu aimerais te distraire pour ne plus penser à cette horrible scène...

■ tu veux lui montrer que tu tiens le coup et qu'il ne mérite pas que tu te laisses mourir de chagrin pour lui.

6. *Tu fais les boutiques :*

● et t'achètes quelques petites choses, histoire de te reprendre en mains et d'être plus présentable pour les nouveaux futurs prétendants.

▲ mais tu n'achètes rien, c'est juste pour te changer les idées.

■ et t'achètes plein de nouvelles fringues, dans l'idée de te faire encore plus jolie pour qu'il regrette encore plus de ne plus être avec toi.

7. *Tu réfléchis à la situation :*

● vite fait, car tout est clair dans ta tête, ça ne sert à rien de ressasser tout ça.

▲ très longuement… et te demandes si tu peux lui pardonner.

■ pendant un moment, mais tu reviens toujours à la même évidence : ce mec ne te méritait pas !

8. *Il t'appelle :*

● tu demandes à tes parents de dire que tu es sortie.

▲ vous en parlez pendant une heure et envisagez de ressortir ensemble…

■ tu prends le téléphone, l'insultes pendant trente secondes et raccroche.

9. *Il te fait une déclaration passionnée :*

● tu es émue par ces propos, mais lui dis clairement que ça ne sert à rien car tu ne lui feras plus jamais confiance.

▲ tu l'écoutes, les larmes aux yeux, et lui demandes un peu de temps pour réfléchir à tout ça.

■ quel baratineur ! Et il pense que tu vas le croire ! Il rêve ! Tu écourtes cette conversation.

10. *Tu as très envie d'aller discuter avec la fille avec laquelle tu l'as surprise :*

● tu y vas sur un coup de tête et lui craches toute ta colère au visage.

▲ tu parles calmement avec elle afin de savoir s'ils pensent rester ensemble ou non.

■ mais tu ne le fais pas car tu considères que ce serait te rabaisser.

Résultats

Tu obtiens un maximum de ● :

Tu es de nature impulsive et réagis de ce fait très spontanément. Tu te décides vite mais regrettes parfois tes mouvements d'humeur et aimerais revenir en arrière pour rejouer la scène et agir de façon plus réfléchie. Tu fais en sorte que la situation entre vous soit sans ambiguïté, mais sur le long terme tu constates que ta colère s'est apaisée et que tu envisagerais bien de lui pardonner cet écart.

Tu obtiens un maximum de ▲ :

Tu es une fille conciliante. Tu réfléchis longuement à la situation avant d'en discuter avec lui car tu préfères attendre que ta colère se soit apaisée. Il est bon d'être compréhensif, mais sache te préserver également et prends des précautions afin de ne pas retomber dans le même piège une seconde fois : exige des garanties de sa part et sanctionne-le pendant un certain temps, de façon symbolique.

Tu obtiens un maximum de ■ :

Tu es très rancunière : hors de question de pardonner ! Tu ne supportes pas la trahison et sais très bien que si tu retournais avec lui, tu n'aurais plus du tout confiance en lui et vivrais tout ça très mal. Il est donc préférable que votre rupture soit définitive, mais seulement si tu es sûre de ne pas le regretter une fois ta colère passée…

13
Les filles pleurent quand elles ont le cœur brisé en mille morceaux

Je trébuche sur eux mais je continue à descendre l'escalier. Russell m'appelle. J'entends Magda dire :

— Zut de zut de zut de zut !

Je me fraye un chemin à travers une foule de crétins avinés jusqu'à la porte. Moi aussi, je suis une crétine avinée. Dehors, l'air froid me fait vaciller, c'est à peine supportable mais il faut que je coure. Je suis terrifiée à l'idée qu'ils me rattrapent parce que, si je dois les voir et leur parler, je vais mourir.

Je suis déjà en train de mourir.

Oh, Magda !

Tu es mon amie.

Comment as-tu pu faire une chose pareille ?
Comment as-tu pu l'embrasser, comme ça ? Comment peux-tu sortir avec mon petit ami alors que tu m'as entendue répéter à longueur de temps depuis des semaines et des semaines à quel point je l'aime ?

Oh, Russell !

Tu es mon petit ami.

Comment as-tu pu embrasser Magda après tout le temps que nous avons passé ensemble, toutes les choses que nous nous sommes promises, toutes celles que nous avons faites ? Et en plus, choisir Magda entre toutes, Magda ma meilleure amie.

Nadine le savait. C'est pour ça qu'elle est partie. Elle ne voulait pas être impliquée dans l'histoire. Russell et Magda. Après tous ces trucs qu'il a racontés sur elle. Après l'avoir tellement traitée d'allumeuse, quasi de pétasse. Peut-être que, pendant tout ce temps, il en pinçait pour elle en secret.

Bon Dieu, c'est lui qui a eu l'idée de l'inviter à la fête ! C'était peut-être exactement ce qu'il espérait. Et moi j'ai joué son jeu en me soûlant. Je suis toujours soûle, d'ailleurs, et j'avance d'un pas incertain dans l'obscurité. Je n'ai aucune idée de l'endroit où je vais. Je n'ai aucune idée sur rien.

Je suis seulement en train de crier intérieurement sous le choc. Je ne peux pas tout garder en moi. Je lâche des petits grognements. Une femme qui promène son chien me regarde bizarrement à la lueur d'un réverbère et me demande si ça va. Je réponds oui, même si les larmes ruissellent sur mon visage et qu'il est évident que j'ai le cœur brisé.

Je croyais que Russell m'aimait vraiment. Je croyais que c'était moi qu'il voulait, pas Magda. Il m'a donné une bague. Cette stupide camelote de bague de même. Je me l'arrache du doigt, maladroitement, en me faisant mal. Je la lance de toutes mes forces de l'autre côté de la rue, et elle disparaît dans les ténèbres.

Si je pouvais disparaître moi aussi ! Je ne supporte plus celle que je suis. Je ne supporte plus que rien ne marche pour moi. Tout va mal. Il ne me reste plus rien à quoi me raccrocher. Même papa ne s'intéresse plus à moi. Il a l'air bien décidé à se détacher de moi, d'Anna et d'Eggs. Quant au dessin, je ne peux plus en être contente puisque je suis incapable d'être originale. J'ai perdu Russell. Il ne m'a jamais aimée, sinon il ne m'aurait pas trahie ainsi. Et le pire du pire, je n'ai plus d'amies. Nadine s'était déjà éloignée de moi, et maintenant Magda... oh Magda,

Magda, Magda, comment as-tu pu faire une chose pareille ?

Je sanglote tellement fort que je ne vois plus rien. Je suis arrivée au centre ville et je n'arrête pas de rentrer dans des gens. Ils réagissent mais je ne fais pas attention. Pour m'éloigner d'eux, je descends dans la rue. Une voiture freine et quelqu'un crie.

— Qu'est-ce que tu fabriques ? Tu veux te tuer ?

Je pleure encore plus fort et quelqu'un d'autre dit :

— Sale gosse !

— Je crois que tu as des problèmes, ma mignonne, t'as oublié que t'étais sur terre.

Un triste clochard malodorant titube contre moi et son chien me mordille les chevilles.

Je pleure encore plus fort en essayant de repousser la tête du chien. Puis brusquement, quelqu'un m'empoigne fermement par le bras en intimant au clochard l'ordre de dégager et d'emmener son chien couvert de puces.

Je connais cette voix, j'ouvre les yeux : c'est l'Homme-de-mes-rêves, qui m'entoure l'épaule de son bras, l'air inquiet.

— Mais c'est ma petite collégienne ! s'exclame-t-il, sidéré.

— Ta collégienne ? demande un de ses copains en riant.

— Cette sale gamine est soûle, dit un autre. Laisse-la tranquille, Kev, elle va t'attirer des ennuis.

Je ne peux pas croire qu'un homme aussi merveilleux puisse s'appeler Kevin. Mais c'est pourtant le cas même s'il est vraiment merveilleux. Il abandonne tous ses amis, qui partent en boîte sans lui, il trouve un taxi et il insiste pour me ramener jusque chez moi. Je pleure parce que je n'ai pas assez d'argent sur moi. Il insiste en disant que lui, il en a plein. Alors je pleure parce qu'il est vraiment trop gentil. Il dit que c'est amusant de jouer les princes charmants et d'aider les demoiselles en détresse. Je pleure parce que c'était lui mon prince charmant depuis le CM2. Il me répond gentiment qu'il est très flatté, mais qu'à vrai dire, il est homo. Je pleure parce que je suis au courant ; jusqu'à présent, ça m'était bien égal puisque j'avais un petit copain, mais maintenant je l'ai vu embrasser ma meilleure amie pendant la fête.

Il m'entoure de son bras et caresse mes cheveux encore humides en me disant qu'il n'y a pas de remède à ce coup-là. Ça va faire un mal de chien pendant longtemps mais si ça peut me consoler, tout le monde connaît ça vers quatorze-quinze ans. Ça me remonte un peu le moral parce que je n'ai que treize ans et qu'il doit penser que je suis plus âgée et, homo ou hétéro, c'est génial de me retrouver dans les bras d'un super beau mec qui me caresse les cheveux. Mais brusquement, je repense à Magda et Russell et je recommence à sangloter et je n'arrête plus jusqu'à ce qu'on arrive à la maison.

Il demande au taxi d'attendre, il m'aide à remonter l'allée et il frappe à la porte. Papa sort en robe de chambre et m'examine d'un air inquiet. Il est prêt à accuser l'Homme-de-mes-rêves de l'état dans lequel je suis, alors je commence à bafouiller qu'il est venu à mon secours. Heureusement, papa pige tout et le remercie ; après, l'Homme-de-mes-rêves (je ne peux pas l'appeler Kev) m'embrasse sur le front et dit qu'il passera prendre de mes nouvelles et qu'il espère que ça ira mieux bientôt.

C'est tellement gentil de sa part… mais je ne me sentirai plus jamais bien. Rien au monde ne pourra plus jamais me rendre heureuse.

La porte refermée, papa me supplie de lui raconter exactement ce qui s'est passé. Je ne veux pas en parler mais il insiste. Anna descend et je n'ai que trois mots à chuchoter : Russell et Magda. Elle me prend dans ses bras et elle me berce comme si j'avais l'âge d'Eggs.

— Pauvre petite Ellie, dit papa en me tapotant le dos. Allez, Russell n'est pas le seul garçon qui existe. À vrai dire, j'ai toujours pensé que c'était un connard prétentieux, ah voilà que tu recommences...

— Boucle-la, lui ordonne sèchement Anna. Ce n'est pas seulement à cause de Russell. C'est parce qu'il s'agit de Russell et Magda.

Russell et Magda. Russell et Magda. Russell et Magda... Va-t-il sortir avec elle maintenant ? Va-t-il venir la chercher au collège ? Va-t-il l'emmener se promener dans nos lieux à nous et faire avec elle ce que nous faisions, nous ? Va-t-il aussi lui offrir une bague ?

Anna me met au lit et je continue à ruminer indéfiniment. Me voilà revenue à la fête, je me dirige en vacillant vers l'escalier et puis je les vois ensemble, Russell et Magda, et ça se rembobine encore une fois...

Le téléphone sonne et je me redresse dans mon lit, le cœur battant. J'entends papa répondre d'une voix endormie. Puis fâchée.

— Oui, elle est bien rentrée et ce n'est pas grâce à toi. Non, tu ne peux pas lui parler. C'est le milieu de la nuit. Elle dort et il n'est pas question que je la dérange. Bonsoir.

Je recommence à pleurer et j'étouffe mes sanglots entre mes mains. J'espère que papa croit que je dors, mais une minute plus tard, j'entends des pas. On chuchote devant ma porte.

— Ellie ? Ellie, tu es réveillée ? Je peux entrer ?

Je ne réponds pas mais papa entre quand même. Je pleure trop fort pour protester.

— Ma chérie !

Papa s'assoit au bout du lit et me serre contre lui. Même si ces derniers temps il a été très méchant, je ne peux pas m'empêcher d'en faire autant.

— Oh papa, je suis tellement malheureuse ! je sanglote.

— Je sais, Ellie, je sais, dit papa sans me lâcher.

— Tu sais rien, papa. Je souffre.

— Je sais très bien, répond papa. Moi aussi, je souffre.

C'est comme si on se retrouvait dans le passé quand maman venait juste de mourir et que tout ce qu'on pouvait faire, c'était de s'accrocher l'un à l'autre pour se consoler.

— C'est Russell qui a téléphoné ?

— Oui. Anna dit que j'aurais dû te demander si tu voulais lui parler.

— Non, je voulais pas !

— C'était ce que je pensais. Mais j'aurais quand même dû te poser la question. Je ne m'y prends pas bien avec toi en ce moment, Ellie.

— Avec Anna non plus.

Papa se raidit, mais je devine qu'il hoche la tête car je sens sa barbe me frôler le front.

— Ni avec Anna, répète-t-il.

— Papa, Anna et toi... vous n'allez pas vous séparer ? je chuchote contre sa poitrine.

— Non ! Bien sûr que non. Pourquoi ? Anna en a parlé ?

— Non, mais vous n'arrêtez pas de vous disputer et tu rentres tard tous les soirs.

— Oui, bon, Anna et moi on va mettre les choses à plat, ne t'inquiète pas, me répond papa d'un ton bourru.

— Papa, quand tu rentres tard... ?

— Écoute, Ellie, ne t'inquiète pas pour moi. Pensons plutôt à toi. Je suis plus que désolé pour toi, mais je suis aussi en colère parce que, manifestement, tu as bu comme un trou. Ça ne me dérange pas trop si tu bois une demi-bière ou quelques gorgées de vin, mais tu dois bien comprendre qu'il n'est pas question que tu commences à boire de l'alcool. Tu pourrais te rendre vraiment malade, finir à l'hôpital...

Papa continue son sermon tandis que je sanglote doucement. Qu'est-ce que j'en ai à fiche de la boisson ? Je ne mettrai plus jamais les pieds dans une fête. Je n'irai plus jamais nulle part de ma vie. Oh, bon sang, qu'est-ce que je vais faire avec le collège ? Comment je vais pouvoir supporter de revoir Magda ?

Elle téléphone le lendemain matin. Papa répond que je dors encore. Magda rappelle après le déjeuner. Cette fois, c'est Anna qui décroche et elle finit par déclarer :

— Ellie ne veut pas te parler pour l'instant, Magda.

Magda n'a pas l'air de capter le message. On frappe à la porte au moment où nous nous installons pour goûter. C'est Magda, elle tambourine de façon spéciale, trois longs coups puis deux rapides, comme une petite fanfare qui annonce son arrivée.

Je me lève en gémissant.

— Anna, c'est Magda. S'il te plaît, dis-lui de s'en aller.

— Tu ne crois pas que ce serait une bonne idée de discuter avec elle ? propose papa. Il faut peut-être que tu entendes son point de vue sur l'histoire, Ellie. Tu ne veux pas que votre amitié soit fichue, non ?

— Oh, papa, je ne pourrai plus jamais être amie avec Magda maintenant, je réplique en courant dans ma chambre.

Appuyée contre la porte, je mets la musique à fond pour masquer le bruit que fait Magda en bas. J'attends, j'attends, j'attends... Et enfin Anna monte frapper à ma porte.

— C'est moi, Ellie. C'est bon, Magda est partie. Elle est tellement à l'envers. Elle meurt d'envie de pouvoir s'expliquer. Elle n'a pas cessé de me parler de son hamster.

— Quoi ? Oh, le bobard !

Un accès de colère sèche mes larmes.

— Magda pense-t-elle que la mort de son idiot de hamster soit une bonne excuse pour rouler des pelles à mon copain ?

— J'aimerais mieux que tu n'emploies pas cette expression, Ellie, dit doucement Anna. C'est pas beau.

Oui, c'est moche. Mais toute cette affaire Russell et Magda est moche moche moche. Je ne veux plus jamais leur parler ni à l'un ni à l'autre.

Je ne veux plus parler à personne, même pas à Anna. Je ne veux pas descendre goûter. Je reste dans ma chambre. Je m'allonge sur mon lit. Je me relève et je commence à frapper mon oreiller. Encore et encore. Je pleure. Je dors. Quand je me réveille, j'oublie l'espace d'une seconde et je commence à penser à Russell toute contente, cherchant ma bague, mais j'ai le doigt nu et je me souviens soudain que tout est fini.

Je ne vais pas rester cachée dans ma chambre éternellement.

On est lundi. Il faut que j'aille en cours, même si je traîne toujours ce fichu rhume.

Je mets tant de temps à me préparer que je finis par être très en retard. Je rate le bus. Ça m'est égal. Je lambine, parce que je n'ai pas envie de percuter Kev encore une fois ; je me sens tellement gênée. Il s'est montré si gentil avec moi... mais il doit me prendre pour une vraie idiote.

Je marche très très lentement. J'arrive tellement en retard au collège que l'élève des grandes classes chargée d'enregistrer les retards est déjà partie en cours ; j'évite donc une retenue. De toute façon, ça m'est totalement équilatéral. Le collège me paraît d'une telle bêtise et d'une telle futilité qu'il n'est pas question que je me fasse du mouron. J'ai vaguement dans l'idée de me tirer vite fait – mais Mme Henderson arrive au petit trot dans le cou-

loir, brandissant un gros sac de netballs neuves.
Elle pile en me voyant.

— Eleanor Allard ! Tu n'étais pas à l'appel.
Ben dis donc ma petite, tu es spectaculairement
en retard aujourd'hui. J'attends tes excuses en
vitesse.

— Je n'ai pas vraiment d'excuse, madame
Henderson, je réponds en soupirant.

Mme Henderson fronce les sourcils. Elle va
sûrement m'infliger une punition des plus
sévères. Peut-être qu'elle va faire rebondir son
sac de balles sur ma tête. Elle m'a déjà menacé
de pire. Mais elle lâche son sac. Plusieurs balles
s'en échappent et roulent dans le couloir. Elle
fait entendre un petit bruit agacé mais ne court
pas les rechercher. Elle se penche vers moi, l'œil
plissé.

— Qu'est-ce qui t'arrive, Ellie ? demande-
t-elle doucement.

Oh non ! Je ne veux pas qu'elle soit gentille. Si
elle crie, si elle me dispute, je peux la regarder
droit dans les yeux comme si j'en avais rien à
fiche. Mais si elle est gentille, je vais m'écrouler.
Je sens déjà les larmes qui me piquent les pau-
pières. Je ne vais pas pleurer. Pas ici, pas au collège.

J'avale ma salive avec difficulté, j'essaie de me maîtriser.

— D'accord, Ellie. Je vois que tu n'as guère envie d'en parler. Ne t'inquiète pas, je ne vais pas insister. Mais peux-tu simplement me dire si tu as des problèmes chez toi ? Des problèmes avec tes amies ? Des problèmes sentimentaux ?

— Les trois ! je réponds en reniflant.

— Oh, Ellie ! s'exclame Mme Henderson. C'est pas très drôle d'avoir treize ans, je le sais. Je me souviens quand...

Mais elle se ravise et secoue à nouveau la tête.

— Non, reprend-elle, je ferais mieux de ne pas me lancer dans le coup de la confession parce que tu iras tout raconter à Nadine et Magda et que vous allez bien vous moquer de moi.

— Je ne répéterai rien à Nadine et Magda, je réplique sobrement. Nous ne sommes plus amies.

— Oh, allez, Ellie ! Vous êtes trois inséparables. Elles étaient très inquiètes pour toi ce matin en voyant que tu étais absente. Ne te fais pas de souci, vous allez redevenir amies, attends un peu. Vas-y, maintenant, et essaie donc de faire un petit sourire, hein ?

J'étire mes lèvres en une petite grimace sinistre et je m'en vais. Je suis sidérée de voir que cette vieille bique d'Henderson puisse se montrer si gentille. Je me demande à quoi elle pouvait ressembler à treize ans ! Mais à son époque, tout était différent, elle ne peut pas comprendre comment ça se passe aujourd'hui. Et elle se trompe complètement pour Nadine et Magda. Je ne pourrai plus jamais être amie avec elles.

Bon, je pourrai peut-être retrouver Nadine. Je sais que ces derniers temps, ça ne marchait pas très fort entre nous, mais elle a essayé de se montrer sympa avec moi à la fête. D'accord, elle est peut-être suffisamment cinglée pour entretenir des relations avec des inconnus sur le Net mais elle ne sera jamais assez cruelle pour sortir avec mon petit copain.

Peut-être qu'elle a quitté la fête de bonne heure parce qu'elle ne supportait pas de voir Magda avec Russell. Si ça se trouve, elle ne parle plus à Magda. Peut-être qu'on va retrouver notre bon vieux duo, Nadine et Ellie...

Je vais au cours d'anglais de Mme Medley. Nadine et Magda sont assises côte à côte dans un coin et elles chuchotent. Manifestement, elles sont toujours amies de cœur. Bon, si c'est comme ça...

Une fois que Mme Medley a fini de me sermonner sur mon retard, je suis bien obligée d'aller les rejoindre. Magda commence à me chuchoter quelque chose. Toute raide, je me tiens aussi loin d'elle que le permet ma table et je pose la main sur mon oreille pour lui montrer que je ne l'écoute pas.

Mais Mme Medley, elle, écoute.

— S'il te plaît, Magda, tu veux te taire ! Il est temps de se concentrer. Je veux que vos essais sur *Jane Eyre* soient exemplaires. Je n'exige pas seulement une analyse littéraire cohérente. Je veux que vous essayiez d'imaginer ce qu'on ressent quand on est cette pauvre petite Jane ordinaire avec ses vêtements passe-partout de préceptrice, qui se retrouve positivement ravagée d'angoisse en voyant la jolie et riche Blanche Ingram badiner avec M. Rochester.

Je ne peux que l'imaginer de façon trop douloureuse. Je ne veux rien écrire sur *Jane Eyre*. Je suis dans un tel état que je ne suis même pas capable d'écrire un paragraphe sur le facteur de notre quartier. Du coin de l'œil, je vois que Magda écrit. Au bout de quelques minutes, elle me fait passer un mot. Je la regarde.

— Oh, Ellie, je t'en prie, réconcilions-nous, je lis sur ses lèvres.

Je suis presque prête à céder. Mais alors Magda fait un geste de prière idiot en chuchotant :

— S'il te plaît, s'il te plaît, s'il te plaît...

Nadine l'imite. Pour elles, ce n'est rien qu'une méchante blague. Un jeu. Elles font comme s'il s'agissait d'une de nos brouilles habituelles à propos de qui a mangé le dernier carré de chocolat et va se faire traiter de grosse truie avant que tout se termine en rigolade. C'est le genre de petite pantomime à laquelle elles se livrent dans ces cas-là. Et jusqu'à présent ça marchait.

Mais ça ne marche plus. Je prends la lettre de Magda. J'aperçois des mots comme *pardon*, *erreur*, *boire*, *pleurer* et *embrasser*. Je vois Russell et Magda en train de s'embrasser et je sais que ces mots ne suffisent pas. Magda m'a tout pris. Elle ne veut même pas de Russell pour elle. Elle voulait seulement montrer qu'elle peut s'offrir tous ceux qui lui font envie.

Qu'elle aille au diable. Je ne veux plus d'elle comme amie. Ni de Nadine.

Je prends le mot, je le déchire en deux et je le jette par terre. Les joues de Magda s'empourprent et elle regarde Nadine. Je détourne le regard, la tête levée. Je sursaute en entendant crier Mme Medley.

— Ellie ! Ne jette pas de papier par terre !

— Je suis désolée, madame Medley. Je vais mettre ça dans la poubelle, c'est sa vraie place.

Je me penche pour rattraper la feuille et je fais

de chaque moitié une petite boule bien serrée. Je traverse la salle et je jette les deux boules dans la corbeille, avec une telle force qu'elles manquent rebondir.

14
Les filles pleurent quand elles se sentent seules

Et voilà. Je n'ai plus d'amies. Je n'ai plus de copain. Je suis Ellie l'Exclue, la fille que personne n'aime, la fille dont personne ne veut. Pauvre grosse Ellie bête et triste.

C'est horrible.

Tandis que j'assiste aux cours, tendue, à essayer d'éviter de croiser le regard de Nadine et de Magda, j'ai tout le temps envie d'éclater en sanglots.

Nadine tente d'engager la conversation pendant la récréation. Magda traîne dans les parages. Je passe droit devant elles.

— Ellie ! Bon Dieu, arrête de faire autant d'histoires ! crie Nadine. Je sais que tu es en rogne

contre nous, mais on est toujours tes copines,
non ?

— Non, vous ne l'êtes plus, je réponds.

Magda a entendu. Elle se rapproche.

— Écoute, je sais que tu as toutes les raisons
de m'en vouloir à mort, Ellie, mais au moins, tu
es toujours amie avec Nadine ? dit-elle, assez
raisonnablement.

Je ne suis pas prête à me montrer raisonnable.
Je souffre trop.

— Je ne veux plus être amie avec aucune
d'entre vous, je déclare.

— C'est seulement pour aujourd'hui, parce
que tu es malheureuse que j'aie roulé une pelle à
Russell ? demande Magda.

— Pas seulement pour aujourd'hui, pour toujours.

— Tu ne le penses pas vraiment, Ellie, dit
Nadine. Tu veux seulement dramatiser la situation
au maximum pour qu'on en vienne à te supplier
de bien vouloir rester amie avec nous.

Je sais que c'est exactement ce que je veux mais
il n'est pas question de l'avouer.

— Je le pense tout à fait, j'insiste. Tu as changé,
Nadine. Et toi aussi, Magda. C'est tout. C'est fini.
F-I-N-I. D'accord ?

Je m'éloigne d'un air digne. J'espère quand

même qu'elles vont me courir après. Je veux qu'elles me disent que ce n'est *pas* d'accord. Je veux que Magda pleure des seaux, des réservoirs, des piscines de larmes et qu'elle implore mon pardon en se traînant à genoux. Je veux que Nadine reconnaisse que j'ai raison, que c'est complètement débile d'échanger des secrets intimes avec un inconnu sur le Net. Je veux qu'elles me disent toutes les deux que je suis leur meilleure amie et qu'elles ne supportent pas l'idée de rompre avec moi.

Mais elles ne font rien de tout ça.

Je reste seule. Seule toute la journée. Nadine et Magda ne se quittent pas d'une semelle, bras dessus bras dessous. Je ne cesse de penser à la fin des cours et à ce que je vais faire. Et si Russell attend à la porte ? S'il attend Magda ?

Je décide que je passerai droit devant lui à toute vitesse sans même lui accorder un regard.

Je suis infiniment soulagée de voir qu'il n'est pas là. Mais, tout en rentrant seule chez moi, je commence à me poser des questions. Il aurait peut-être dû être là. Pourquoi n'y était-il pas ? Il manque à ce point de cran ? Ça ne doit pas le déranger beaucoup de me faire de la peine, pas après avoir passé la moitié de la soirée de samedi sur l'escalier à enfoncer sa langue dans la gorge de Magda.

Pourquoi a-t-il fait ça ? Pourquoi n'est-il pas sorti d'emblée avec elle ? Pourquoi est-ce avec moi qu'il est sorti et pourquoi a-t-il tout fait pour que je tombe amoureuse de lui ?

Je me sens tellement solitaire. Devant moi, une fille de première se promène main dans la main avec son petit ami. Elle lui sourit. Il se penche pour lui donner un petit baiser. Je ferme les yeux. Ça fait trop mal de regarder.

Je cours pendant tout le reste du trajet. J'ai cet espoir absurde que Russell est peut-être chez moi, à m'attendre. Il ne veut pas vraiment de Magda, il veut que je revienne, simplement il préfère éviter un face-à-face embarrassant en public, devant tout le monde, surtout devant Magda.

Mais il ne m'attend pas à la maison. Il n'y a personne. Anna est partie à un rendez-vous de travail et elle a emmené Eggs. Je suis toute seule mais, cette fois, c'est horrible. J'erre dans les pièces sans trouver ma place, incapable de me poser quelque part. La maison est terriblement silencieuse ; je sursaute à chaque grincement du parquet, à chaque gargouillis de tuyau.

Je me fais un café et je grignote un gâteau, puis un autre, et encore un autre... Je dévore tout le paquet, alors même que je commence à avoir mal au cœur. J'envisage un moment de me faire vomir, mais je serre les poings et je les frappe l'un contre l'autre, furieuse contre moi-même. Je ne me ferai plus jamais subir un traitement pareil. Je m'en fiche si je me sens plus grosse que jamais. Je ne reprendrai pas ce régime ridicule. J'en ai terminé avec tout ça. Je m'en fiche si je suis rien qu'un gros tas triste et si Magda est carrossée tout en courbes. Enfin, je ne m'en fiche pas, bien sûr que non, mais je ne peux pas devenir Magda et si c'est elle que veut Russell, je n'ai qu'à l'accepter.

Mais je ne peux pas l'accepter. À quoi joue-t-il ? Pourquoi ne lui ai-je pas parlé quand il a téléphoné dimanche ? Au moins, il aurait pu m'offrir un semblant d'explication. J'aurais su à quoi m'en tenir.

Et si je lui téléphonais, là, tout de suite ?

Non, que ce soit lui qui appelle.

Il m'a déjà appelée. J'ai refusé de lui parler. Mais je pourrais lui téléphoner maintenant. Il sera seul chez lui.

Appelle, appelle, appelle, appelle...

J'arpente l'entrée dans tous les sens, et puis je me décide.

Le téléphone sonne, sonne, sonne... Il ne va pas

189

décrocher... Mais juste au moment où le répondeur se déclenche, il dit :

— Allô ?

Le répondeur parle toujours, mais quelqu'un d'autre parle également en arrière-plan.

— C'est Ellie ? j'entends.

Mon cœur s'arrête. C'est Magda.

Elle est chez Russell.

C'est insupportable. Je raccroche brutalement sans dire un mot. Je cours dans ma chambre et je me jette sur mon lit. Je pleure sans pouvoir m'arrêter. Je ne peux plus me faire d'illusions. Il ne s'agissait pas seulement d'un flirt bête pendant une fête. Ils ont commencé à sortir ensemble.

Le téléphone sonne. Russell a dû voir mon numéro de téléphone s'afficher sur son cadran. Oh, mais pourquoi ai-je essayé de l'appeler ? Ils doivent bien se moquer de moi en ce moment. Non, ce n'est pas leur genre. Je sais qu'ils ne sont pas aussi odieux. Ils doivent se sentir coupables et s'inquiéter à mon sujet. C'est pour ça qu'ils appellent. Ils sont désolés pour moi. Et c'est vraiment ça qui me torture. Je les imagine tous les deux près du téléphone, à hocher la tête en discutant de cette brave vieille Ellie à qui il vaudrait mieux ne pas faire trop de mal...

J'allonge un coup de poing à mon oreiller, je déteste Magda, je déteste Russell, je me déteste.

Je me sens tellement triste, solitaire et effrayée. Je veux ma maman. Si seulement elle était encore en vie. J'aime Anna maintenant, on est comme deux sœurs, mais ce n'est pas comme si elle était une vraie maman, ma maman. Je donnerais n'importe quoi pour qu'elle soit assise à côté de moi, pour qu'elle me serre dans ses bras, pour qu'elle me berce doucement en me caressant les cheveux et en me chuchotant des histoires de Myrtille dans l'oreille...

Je cesse de pleurer et je vais chercher les aventures de Myrtille dessinées par maman. La Myrtille de maman ne ressemble pas à la mienne. Celle de maman est petite, mignonne et gentille. Elle a des couleurs douces, des teintes pastel et ses aventures sont tendres, des gentilles histoires pour les bébés. Ma Myrtille est dessinée au feutre avec des couleurs vives, des violets vibrants, des bleu roi, des vert jade ou des vert émeraude agressifs. Elle vit des aventures hautes en couleur, des mélos pleins d'audace. Elle est totalement différente – mais en toute honnêteté, je ne peux pas dire qu'elle soit originale.

Je prends la merveilleuse lettre de Nicola Sharp et je la relis à nouveau. Je l'ai déjà tellement lue que c'est étonnant que l'encre n'ait pas encore pâli. Je sors mon carnet de croquis et j'écris mon adresse de ma plus belle écriture penchée. En haut de la page, je dessine Myrtille sous les traits d'une artiste, vêtue d'une grande blouse et brandissant un gros pinceau. J'écris à Nicola Sharp pour lui raconter à quel point sa lettre m'a rendue heureuse. Je dessine Myrtille en train de sauter à pieds joints par-dessus une lune minuscule. Je lui explique ce que cela signifie pour moi. Je dessine Myrtille dans son lit, qui serre la lettre contre son cœur.

Et puis je lui raconte à quel point je me sens coupable. Myrtille baisse la tête, tout son corps s'avachit, y compris ses oreilles et sa queue. Je dis que ma Myrtille est partie d'histoires que ma mère a inventées pour moi il y a bien longtemps. Elle n'a jamais pu les développer davantage parce qu'elle est morte, alors j'ai repris le personnage de Myrtille mais je ne peux vraiment pas m'octroyer le mérite de l'avoir créée.

Je conclus en disant que je suis plus que désolée de lui avoir fait perdre son temps et je lui explique avec sincérité à quel point j'aime ses propres illustrations. Je dessine Myrtille plongée dans un gros album de comptines illustré par Nicola Sharp, en train de faire coucou à la souris sur la page « Une souris verte ». Puis je signe de mon nom, je plie la lettre et je la glisse dans une grande enveloppe.

Nicola Sharp ne s'intéressera plus à moi une fois qu'elle saura que j'ai simplement copié ma mère, mais lui écrire la vérité m'a un peu soulagée.

Tant que j'étais occupée à rédiger cette lettre et à dessiner Myrtille, j'ai oublié à quel point j'étais malheureuse. Je ne suis peut-être pas une artiste pour l'instant, mais je le deviendrai un jour. Je me jetterai à corps perdu dans le travail. Je ne m'embarrasserai plus de petit ami. Je vais peut-être aussi renoncer à avoir des nouvelles amies. Je vivrai toute seule, je passerai mes journées à faire des illustrations et je créerai des albums merveilleux.

Comment te ressources-tu ?

Après une période de crise, il faut savoir se ressourcer, pour partir sur de nouvelles bases. Pour certains, cette guérison s'opère auprès des amis, pour d'autres, seuls... En ce qui te concerne, comment vis-tu cette étape ?

1. *Lorsque tu es très déprimée :*

● tu restes enfermée dans ta chambre pendant des heures et ne veux voir personne.

▲ tu essaies de sortir le plus possible de chez toi afin de ne pas te retrouver seule.

■ tu appelles une copine pour en discuter.

2. *Lorsqu'un gros examen approche :*

● tu n'as qu'une obsession : réviser, réviser, réviser. Aucun moment de détente jusqu'à l'exam, sinon tu culpabilises.

▲ tu travailles un peu et te reposes ou te divertis le dernier jour.

■ après les cours, tout est programmé : tu révises le lundi, vas à la danse le mardi, révises le mercredi, vas chez une copine le jeudi, etc...

3. *Quelle est la chose qui te fait le plus de bien et que tu fais le plus souvent ?*

● regarder un bon film.

▲ voir tes copines.

■ écouter de la musique entre amis ou danser, ça te plonge dans un autre monde.

4. *Que penses-tu de l'introspection ?*

● tu es en état constant d'introspection, tu en ressens le besoin.

▲ c'est pour les intellos et les dépressifs ça !

■ ça fait du bien de temps en temps, mais il ne faut pas passer son temps à réfléchir au lieu d'agir.

5. *Lorsque tu es en vacances,*
à la mer ou à la montagne tu profites
avant tout :

● de cette occasion pour t'enfermer
et bouquiner tranquillement dans
ton coin.

▲ des loisirs qu'on peut y pratiquer.

■ de la beauté du paysage, ça te fait
un bien fou !

6. *Si tu pouvais ajouter une pièce*
dans votre maison, ce serait :

● une bibliothèque dont les murs
seraient recouverts de livres !

▲ une sorte de boudoir dans lequel
tu pourrais inviter tes amies quand
tu veux…

■ une salle de danse, avec un grand
miroir et des posters de
danseuses…

7. *Le midi, à l'école :*

● tu t'isoles pour te plonger dans
un bouquin.

▲ tu discutes avec tes copines.

■ tu relis vite fait le dernier cours de la
matière que tu auras l'après-midi.

8. *Quand tu as la grippe :*

● tu restes couchée pendant une
semaine : le sommeil, y'a rien de
tel !

▲ tu vas à l'école et sors quand
même, gavée de médicaments
pour tenir le coup.

■ tu te couches tôt le soir pour
reprendre des forces et vas en
cours tant bien que mal.

9. *Tu viens de déménager :*

● tu te mets immédiatement à ouvrir
tes cartons.

▲ tu demandes à tes parents quand
est-ce que tu peux pendre la
crémaillère.

■ tu prends un bon bain dans ta
nouvelle salle de bains.

10. *Ta sœur te prend la tête en ce*
moment, pour tenir le coup, tu :

● fais du yoga.

▲ n'es jamais chez toi.

■ l'ignores.

Résultats

Tu obtiens un maximum de ● :

L'isolement, c'est ça qui te fait du bien. Tu as besoin d'être seule et refuses de voir quiconque, lorsque tu es en période d'exam ou lorsque tu rencontres des problèmes personnels. Malheureusement, tu te laisses un peu dépérir et tombes dans une grande solitude. Essaie de communiquer tes sentiments, tu verras que ça t'aidera à prendre du recul et à réfléchir de façon plus objective à chaque situation.

Tu obtiens un maximum de ▲ :

Pour toi, se ressourcer, c'est se divertir! Tu as besoin de bouger, de te changer les idées, de voir du monde! Ce sont les autres qui te ressourcent. Avant un exam, rien de tel qu'une bonne fête pour ne pas stresser! Tu ne jures que par tes copines et détestes la solitude. Essaie tout de même de te préserver quelques moments pour toi et d'apprendre à réfléchir par toi-même, afin d'être plus indépendante, car les copines ne sont pas forcément toujours là quand on en a besoin!

Tu obtiens un maximum de ■ :

Tu as trouvé un bon équilibre car tu sais apprécier les moments de solitude et les utiliser pour la réflexion, mais tu n'ignores pas les bienfaits des sorties non plus. Tu organises ton emploi du temps en prenant soin d'alterner ces deux principes : société et indépendance. Et, grâce à cette perspicacité, tu vis sereinement et ça se voit!

15
Les filles pleurent quand la mémoire leur revient au réveil

Je ne peux pas affronter le collège aujourd'hui. Mon rhume est presque guéri mais, pendant le petit-déjeuner, je ne cesse de me moucher et de tousser dans mes céréales.

Papa me tapote l'épaule en pensant à autre chose.

— Tu as l'air un peu ramollo, Ellie. Allez, ça ira mieux quand tu verras tes copines...

Puis il se souvient.

— Oh oui, bien sûr..., reprend-il. Bon, vous allez bientôt vous réconcilier, ça finit toujours comme ça.

À peine papa est-il parti travailler qu'Anna me regarde d'un œil plein de compassion.

— Il ne peut pas s'empêcher de manquer de tact, dit-elle. Manifestement, il a la tête ailleurs. L'amertume de son ton me fait tressaillir.

— Anna... ?

Mais elle secoue légèrement la tête et regarde Eggs qui, insouciant, est en train de faire galoper d'un bout à l'autre de la table de la cuisine le petit cow-boy qu'il a eu dans le paquet de céréales.

J'ai une nouvelle quinte de toux.

— J'ai une de ces toux ! j'insiste lourdement.

Anna soupire et attend.

— Et j'ai mal à la poitrine, j'ajoute. Et la tête chaude. Franchement, je suis vraiment mal fichue.

— Je pense quand même que tu dois aller en cours, dit Anna.

— Oh, Anna, je t'en prie. Touche mon front. Je suis sûre que j'ai de la fièvre. J'ai mal partout. Je n'ai qu'une envie : me remettre au lit.

— Moi aussi, Ellie, répond Anna d'un ton las en se frottant les yeux. Mais j'ai une tonne de travail à faire. Je suis censée retourner à Londres mais Dieu seul sait ce que je vais bien pouvoir faire d'Eggs. Je n'ose pas redemander à la mère de Nadine, après ce qui s'est passé la dernière fois.

— Écoute, si je ne vais pas en classe, je peux rester couchée ce matin ; je me lève vers midi, je fais mes devoirs et ensuite je vais chercher Eggs à l'école à ta place. D'accord ?

— Je suis pas d'accord du tout, proteste Eggs. Moi, j'ai été obligé d'aller à l'école alors que mon rhume était bien pire. Je veux pas que ce soit toi qui viennes me chercher, Ellie ! Je veux que ce soit toi, maman.

Il pleurniche plus qu'il ne parle. C'est le cow-boy qui trinque : il l'envoie par-dessus bord, tout au fond du Grand Canyon jusque sur le sol de la cuisine.

— Ne fais pas attention à lui, Anna. Il essaie seulement de prendre avantage de la situation, je dis en ramassant le cow-boy, que je rends à Eggs. Et voilà ! Le Cow-Boy-des-Céréales est de retour !

Je lui fais faire une petite cabriole.

— Tu sais, Eggs, j'inventerai une histoire sur lui en revenant de l'école.

— Avec plein de bagarres et des coups de feu ? dit Eggs.

Il est obsédé par les armes alors même qu'il n'a pas le droit d'en avoir en jouets.

— Ça va canarder dans tous les coins ! je promets.

Ça marche. Je vais rester à la maison. Je retourne me mettre au lit et je me blottis sous ma couette. Je serre mon oreiller contre moi parce

199

que je me sens tellement seule et mon Ellie-l'Éléphant, ma peluche bien-aimée, a été jetée il y a bien longtemps. Moi aussi, j'ai l'impression d'être bonne pour la poubelle.

Je me rendors et je fais ce rêve idiot et épouvantable sur Magda et Russell. Ils chevauchent tous les deux un magnifique cheval blanc, dont la crinière et la queue flottent au vent. Moi, je suis coincée sur un gros petit âne et je patauge dans la poussière. J'essaie de lui faire accélérer l'allure et, brusquement, il démarre, il galope de plus en plus rapidement, je tire sur les rênes de toutes mes forces mais je ne peux pas l'arrêter. Nous avons atteint le bord du ravin, on passe par-dessus et je tombe, je tombe, je tombe, je tombe... puis je me réveille, le souffle court.

C'est tellement horrible de se réveiller pour retrouver tout ça. Je m'offre une bonne séance de larmes sous les couvertures et puis je m'oblige à me lever. Je baigne mes pauvres yeux gonflés dans l'eau froide et je me prépare à déjeuner. J'ouvre même mon livre de maths. J'ai déjà raté deux devoirs et je ne sais plus ce qu'il faut faire. Magda m'a toujours aidée en maths, mais, à l'évidence, je ne peux plus rien lui demander. Il m'est arrivé de téléphoner à Russell quand j'étais coincée, mais, là encore, c'est impossible. Je vois bien que je suis désormais destinée à ne récolter que des zéros à mes devoirs de maths.

Je lis la première question mais je me rends compte qu'il est parfaitement inutile de m'obstiner. J'ai un dossier d'histoire à faire, des verbes français à apprendre mais je n'arrive pas plus à me concentrer sur ces matières. Je me retrouve finalement en train de dessiner. Je veux inventer de nouvelles aventures pour Myrtille, mais je décide que je n'ai plus le droit de la dessiner, à présent.

Je griffonne sur mon carnet et finalement je dessine le cow-boy en plastique et je lui invente un univers de pampa-des-cuisines. Je le dessine en train d'attraper des scarabées au lasso ou de monter à cru une souris qui fait des ruades, puis il me vient à l'esprit que ce n'est pas non plus authentiquement original puisque je n'ai pas inventé ce cow-boy en plastique : il était dans les cornflakes. Désespérée, je balance mon crayon à travers la pièce. Je suis sans doute nulle également en dessin. Tout ce que je suis capable de faire, c'est de copier les autres.

N'empêche, en ramenant Eggs de l'école, j'ai plein d'histoires à lui raconter sur le Cow-Boy-des-Céréales. Eggs apprécie la prestation. Je suis en plein milieu d'une aventure où le cow-boy est dans un chariot, fait dans une boîte d'allumettes montée sur roues, quand Eggs s'immobilise.

— Est-ce que le papa et la maman du cow-boy sont dans le chariot ? demande-t-il.

— Ça se peut, je réponds prudemment.

— Il a bien un papa et une maman, non ?

— Mais oui, évidemment.

— Sa maman va pas mourir comme la tienne ?

— Non, bien sûr que non. Et ta maman à toi ne va pas mourir, Eggs.

— Et papa non plus ?

— Non, bien sûr que non.

— Mais peut-être... peut-être qu'ils vont se séparer ? Papa va peut-être aller vivre ailleurs ?

— Non. Qui a dit une chose pareille, Eggs ? C'est pas papa ?

Nous avons tous les deux oublié l'histoire du cow-boy. Retour à la réalité, et c'est bien plus terrifiant.

— Papa n'a rien dit. Mais j'ai entendu maman qui lui criait de partir et papa a répondu qu'il en avait envie.

— Oui, mais c'était parce qu'ils étaient fâchés. Ils ne le pensaient pas.

En tout cas, je l'espère.

— Sam, qui est mon voisin en classe, dit que son papa et sa maman se disputaient pareil et qu'ils se sont séparés. Sam dit qu'il parie que les miens vont faire pareil.

— Ton copain Sam n'a pas toujours raison, Eggs. Tandis que ta grande sœur Ellie a toujours, toujours, toujours raison.

— Ellie, est-ce que Russell et toi, vous vous disputez ?

Je m'arrête et j'avale ma salive avec difficulté.

— Un peu, je réponds. Viens, Eggs, on rentre.

Je marche à grands pas et Eggs court pour me rattraper.

— Tu es triste, Ellie ? Maman a dit qu'il ne fallait pas que j'en parle mais je veux savoir.

— Il n'y a rien à raconter. Je suis un peu triste, oui.

On peut dire ça comme ça...

— Est-ce que Dan va redevenir ton petit ami ? Je l'aimais mieux.

— Il n'en est pas question.

— Je déteste que ça change et que les gens se disputent et se séparent, déclare Eggs, brusquement au bord des larmes.

— Moi aussi, je déteste ça, Eggs, je lui réponds en lui serrant fort la main.

À la maison, je suis aux petits soins pour lui, je lui prépare un goûter « spécial cow-boy ». Enfin, ma vision personnelle d'un goûter de cow-boy. Il me semble que les cow-boys mangent des trucs genre steak de buffle et épis de maïs grillés, mais jambon et haricots à la tomate me paraissent des substituts acceptables.

Moi, je mangerai avec Anna plus tard mais je ne peux pas m'empêcher de picorer des haricots blancs directement dans la casserole. Je suis justement en train d'essuyer ce qui reste de sauce avec un ou deux morceaux de pain quand on frappe à la porte. Trois longs coups suivis de deux brefs – c'est Magda.

— Oh zut ! On va faire semblant de pas être là.

— Mais on est là, proteste Eggs.

— Chut ! Je ne veux pas qu'on nous entende, je chuchote.

— Mais c'est Magda, crie Eggs. C'est notre amie !

Il se précipite vers la porte. Je fonce sur ses talons mais je ne suis pas assez rapide. Eggs est déjà en train d'ouvrir quand je crie encore :

— Non ! Ne fais pas ça ! Mais obéis, Eggs !

Magda se tient sur le seuil et elle se mord la lèvre.

— Voilà ! C'est Magda ! triomphe Eggs. Je te l'avais dit, Ellie ! Salut, Magda, entre !

— Eggs, calme-toi ! Retourne dans la cuisine

finir ton goûter, je dis avec autant d'autorité que je peux en trouver.

— Je peux entrer ? demande Magda d'un ton humble.

— Bien sûr que oui ! s'exclame Eggs en riant parce qu'il s'imagine qu'elle plaisante.

— Non, je suis désolée mais ce n'est pas possible, je dis.

Eggs rit de plus belle, persuadé que moi aussi, je plaisante. Puis il voit la tête que je fais. S'il joue souvent les idiots, il est loin d'être bête.

— Oh, Ellie, tu as aussi rompu avec Magda ? me demande-t-il d'un air dramatique.

— Oui, je dis.

— Non, intervient Magda. Ellie, tu ne dois rompre avec personne. Et surtout pas avec Russell. Il est complètement fou de toi, tu le sais parfaitement. Tu aurais dû l'entendre hier répéter en boucle qu'il avait tout fichu en l'air et qu'il était rien qu'un gros nul.

— Mais tu t'es donné du mal pour le consoler, pas vrai ?

— Oui. Non ! Pas comme tu crois ! Je suis seulement passée le voir pour réfléchir à ce qu'on pourrait te dire pour t'ouvrir les yeux.

— C'est ce que vous avez fait ensemble samedi soir qui m'a ouvert les yeux. Je ne veux plus jamais vous parler, ni à l'un ni à l'autre. Alors va-t'en, s'il te plaît.

J'essaie de refermer la porte mais elle glisse son épaule dans l'entrebâillement.

— Non, Ellie. Il faut absolument que tu comprennes. Écoute, je sais que nous n'avons aucune excuse pour ce qui s'est passé, mais nous étions tous un peu soûls... surtout toi.

— Hum ! s'exclame Eggs qui n'en perd pas une miette, les yeux écarquillés. Tu t'es vraiment soûlée, Ellie ? Tu es tombée ? Tu as vomi ?

— Non, bien sûr que non, je mens. Maintenant va dans la cuisine, Eggs, je réponds en le poussant pour le faire déguerpir. Et Magda, si tu veux bien partir de là pour que je puisse fermer la porte !...

Magda aussi, je la pousse. Plus fort.

— Mais il faut que je m'explique.

— Et moi, je t'ai dit que ça ne m'intéresse pas.

— D'accord, d'accord, on ne parle plus de l'histoire Russell, même si c'est du vent. Mais j'ai besoin que tu m'aides, Ellie.

Je la regarde comme si elle était devenue folle. Elle me vole ma copine, elle me vole mon copain – et maintenant elle vient ici réclamer mon aide ?

— C'est Nadine, explique-t-elle. Un cas d'urgence. Tu sais, ce type, Ellis, celui de l'Internet ? Eh bien, elle le rencontre ce soir.

— Alors, elle est idiote.

— Ça, c'est vrai.

— Eh bien, tu n'as qu'à le lui expliquer. C'est toi sa copine.

— J'ai essayé toute la journée, mais elle refuse de m'écouter. Elle dit qu'elle doit y aller. Cet Ellis raconte qu'il y a une séance spéciale où on va passer les premiers épisodes de *Xanadu* dans un cinéma à Londres et Nadine refuse de rater l'occasion de les voir – et de le voir, lui. Elle a raconté à sa mère qu'elle y va avec nous, mais évidemment elle y va toute seule et je sais vraiment pas quoi faire. Je peux pas aller rapporter à sa mère, quand même ! Et pourtant, je ne peux pas la laisser aller retrouver cet Ellis au cinéma, pas toute seule. Elle dit qu'elle ne sera pas toute seule, qu'il y aura tous les fans de *Xanadu*. Nadine fait comme si c'était le rendez-vous du siècle, mais moi, j'ai l'horrible pressentiment que tout ça est très louche. D'après elle, je suis parano et simplement jalouse parce qu'elle a rencontré un mec génial. Qu'est-ce que tu en penses, Ellie ?

— J'en pense que Nadine est malade. Même si Ellis est peut-être génial. Je sais pas. Je m'en fiche. Je ne suis plus amie ni avec Nadine ni avec toi.

Mais je ne le pense pas vraiment. Et Magda sait que je ne le pense pas vraiment.

— On pourrait pas oublier toutes ces embrouilles avec Russell rien que pour ce soir, Ellie ? Tu veux bien venir avec moi à Londres ? Je sais où et à quelle heure ils ont rendez-vous. On pourrait peut-être y arriver de bonne heure et guetter s'il vient des mecs bizarres et après garder un œil sur Nadine. On pourrait même essayer de s'asseoir derrière elle au cinéma. Mais il ne faut surtout pas qu'elle nous repère. Écoute, si tu m'accompagnes pas, j'irai toute seule. Mais les frappadingues vont pas me louper si je suis toute seule. Ellie, tu viens avec moi ? Je t'en prie ! Je t'en prie !

16
Les filles pleurent quand elles s'excusent

J'accepte. Que faire d'autre ? Je déteste Nadine
et Magda encore plus. Je ne veux plus jamais être
amie avec elles. Et pourtant, malgré tout ça, j'aime
Nadine, j'aime même Magda, et je veux être leur
amie pour l'éternité de l'éternité.

Cependant, j'ai du mal à sortir. Je raconte à
Anna une histoire compliquée sur une réconcilia-
tion avec Magda et Nadine. Je dis que nous allons
à cette séance *Xanadu* à Londres pour fêter ça et
je baratine que c'est le père de Magda qui nous y
emmène.

Anna, les bras croisés sur la poitrine, secoue la
tête.

— Si tu es trop malade pour aller en classe, Ellie, alors tu es trop malade pour sortir.

— Mais ça ne t'a pas gênée que je sois malade quand il a fallu que j'aille chercher Eggs à l'école !

— Absolument. Je suis totalement favorable aux guérisons spectaculaires quand elles peuvent m'aider à effectuer mon travail. Cependant, je me retrouve avec un cœur de pierre quand il s'agit de sortir le soir avec tes copines. Je croyais que vous étiez devenues des ennemies mortelles. Surtout avec Magda.

— Eh bien, comme je te l'ai expliqué, nous nous sommes réconciliées.

— Et voilà ! Je te l'avais bien dit, déclare papa en entrant dans la cuisine et en m'embrassant.

Je sens son odeur tiède de térébenthine. Pour une fois, je ne cherche pas à lui échapper.

— Oui, papa, une fois de plus tu as eu raison !

Anna lève les sourcils d'un air écœuré, sachant ce qui va venir. Je me sens coupable de jouer un tel jeu mais il s'agit d'un cas d'urgence.

— Papa, Magda se sent encore un peu gênée de cette situation. Elle a demandé à son père de nous emmener à Londres ce soir pour assister à cette séance spéciale où on passe des vieux épisodes de *Xanadu*. Je peux y aller, s'il te plaît ?

— Bien sûr que oui, répond papa.

— Je viens de lui dire exactement le contraire, s'exclame Anna.

— Et moi, je viens de l'y autoriser.

— Oh bon dieu ! Faut-il que tu me contredises sur tout ? explose Anna avant d'éclater en sanglots.

Je me sens plus coupable que jamais, mais je n'hésite pas à tirer avantage de la situation. J'enfile ma veste, j'attrape mon sac et je sors en trombe.

Comme prévu, je retrouve Magda à la gare. Elle porte son pull rouge, une jupe courte et des talons aiguilles. Elle ne passe pas inaperçue.

— Je croyais que le but de la manœuvre, c'était de nous fondre dans le paysage pour pouvoir surveiller Nadine sans risquer de nous faire repérer. Ah, ah, ah ! Avec ta tenue, tu pourrais aussi bien te déplacer avec un projecteur braqué sur toi. Et si jamais ils partent se balader ? Tu pourras même pas marcher avec ces fichus talons. C'est peut-être comme ça que tu t'es retrouvée couchée dans l'escalier pendant cette fichue fête ? Tu étais simplement tombée !

— Oh, Ellie, je suis désolée, réplique Magda, l'air navré. J'ai oublié que j'étais habillée comme ça samedi. Oh, Bon dieu, je me sens tellement mal...

— Ça tombe bien, moi aussi ! je riposte. Bon, on oublie la fête pour le moment et on va à Londres. Qu'est-ce qu'on fait si Nadine est sur le quai ? On lui baratine qu'on est des superpotes qui s'offrent une petite virée ?

— Elle ne sera pas là. On est parties très tôt pour être sûres de l'éviter. Mais... on ne pourrait pas dire qu'on s'offre une petite soirée ? Je t'en prie, El, redevenons amies. Si tu me laissais seulement m'expliquer...

— Je te préviens, Magda : tu la fermes sur cette fichue fête.

Elle ne le fait pas. Pendant tout le trajet en train, elle ne cesse d'en parler. Je fais mine de ne pas écouter. Je me bouche les oreilles avec les mains mais Magda se contente de hausser le ton. Je vais m'asseoir dans un autre wagon, mais elle me suit. Elle s'assoit à côté de moi, me prend par le bras pour m'empêcher de partir.

— Je saurai bien t'obliger à m'écouter ! déclare-t-elle.

— T'auras du mal parce que je vais te jeter par la fenêtre si jamais tu oses parler de Russell et toi. Tu ne comprends donc rien ? C'est trop douloureux ! je dis, au bord des larmes.

— Pour moi aussi, c'est douloureux, Ellie, répond Magda, elle aussi au bord des larmes. Je

me sens tellement ignoble. Je ne voulais pas de ça.
Pas plus que Russell. Ça s'est seulement fait sans
qu'aucun de nous s'en rende compte.

— Oh, genre cette incroyable force magné-
tique qui vous a aspirés tous les deux et qui vous
a poussés l'un vers l'autre avant de vous coller
ensemble, langue contre langue ?

— Ça ne comptait pas que ce soit Russell. Ça
aurait pu être n'importe qui. Simplement, il se
trouvait là. Et la même chose pour lui. Ce n'était
pas moi qu'il voulait. Je ne lui plais même pas, tu
le sais très bien, Ellie.

— Oui, à le voir samedi soir, c'était clair que
tu le dégoûtes carrément.

— Il pense que je ne suis bonne qu'à ça,
répond Magda, le visage défait. C'est ce que
pensent tous les garçons. Écoute, j'en avais ras le
bol, de cette fête. Je sais que je riais et que je faisais des plaisanteries mais en fait je me sentais
nulle, minable. J'entendais tout ce qu'ils chucho-
taient entre eux sur cette bonne vieille Magda.
Bonne, très bonne. Je sais pas quoi faire. Ça me
plaît de me fringuer et d'avoir l'air sexy et que les
garçons me regardent, évidemment que ça me
plaît, mais on dirait que ça ne les intéresse pas de
savoir qui je suis.

J'ai bu de la vodka mais ça n'a rien arrangé,

c'était même encore pire. J'ai commencé à avoir carrément pitié de moi-même. Je suis allée dans la salle de bains, après je me suis assise sur les marches et j'ai pleuré un petit coup en me demandant pourquoi je ratais toutes mes histoires. En fait, j'en ai même pas d'histoires. Même Greg ne veut plus de moi parce que je refuse d'aller plus loin que le baiser. Et puis je me suis mise à penser à la petite Caramelle et à ce que ça avait dû lui faire de faire l'amour pour la première fois. Elle a dû se sentir toute perturbée et abattue pour s'enfuir comme ça et finir par tomber... D'accord, j'étais dans le genre larmoyant. Et puis Russell a trébuché sur moi en revenant des toilettes et il m'a entendue sangloter. Il a cru qu'il m'avait fait mal alors il s'est assis à côté de moi, il m'a prise par l'épaule, juste histoire de me consoler. J'ai pleurniché ridiculement à propos de Caramelle. Il m'a dit qu'il n'avait jamais réalisé à quel point j'avais le cœur tendre et lui aussi, il s'est pratiquement mis à pleurer et il a dit je ne sais quelle bêtise sur toi et puis...

— Quelle bêtise ?

— Oh, pas la peine de répéter. Il n'en pensait pas un mot. Il était juste un peu soûl...

— Magda. Dis-moi-ce-qu'il-a-dit !

— Il a dit que tu croyais que t'étais arrivée

parce que cette illustratrice t'avait écrit une lettre et comment t'avais été casse-pieds en disant qu'il t'avait copiée et que lui, il avait toujours voulu être un artiste toute sa vie et qu'il ne pouvait pas s'empêcher de penser que son travail était meilleur que le tien simplement parce qu'il a deux ans de plus, qu'il travaille davantage et qu'il a peut-être un peu plus de talent.

Je lâche un mot incroyablement grossier.

— Je savais que ça ne te ferait pas plaisir, dit Magda.

— Il est tellement jaloux. C'est lamentable.

— Eh, c'est rien qu'un mec, hein ? Ils apprécient pas quand on est meilleures qu'eux.

— Alors, tu penses que mes dessins sont meilleurs que ceux de Russell ?

— Bien sûr que oui ! Et Russell le sait très bien aussi. C'est pour ça qu'il est tellement susceptible sur la question. Oh, Ellie, t'es vraiment lourde parfois ! Bon enfin, il se lamentait là-dessus, moi je pleurais sur ma pauvre petite Caramelilou et j'étais quasi couchée sur la poitrine de Russell. Franchement, pour moi, c'était rien qu'un oreiller. Et puis j'ai bougé et lui aussi et je te jure que je sais pas comment ça s'est goupillé – il faisait noir comme dans un four, alors on voyait rien de ce qu'on fabriquait – mais en tout cas, on s'est retrouvés en train de s'embrasser.

— Ne va pas plus loin ! je m'écrie. Mais pourquoi a-t-il fallu que vous continuiez ?

— Je sais pas. Si seulement on s'était abstenus. Mais c'était tellement agréable, Ellie, que je n'ai pas réussi à m'arrêter. Je pensais que Greg savait bien embrasser mais ton Russell est vraiment génial.

— Ce n'est plus mon Russell. C'est le tien.

— Pas du tout ! Il ne veut pas de moi. Il est fou de toi, Ellie. Il a tellement envie de te récupérer que même si tu gagnais le Nobel de l'illustration, il s'en ficherait comme d'une guigne.

— Alors, pourquoi il me dit pas tout ça lui-même ?

— Depuis samedi, il arrête pas d'essayer de te téléphoner.

— Mmmm, c'est vrai. Mais il n'est pas passé me voir.

— Je crois qu'il n'en a pas le courage. Ton père peut être assez effrayant parfois.

— Mon père n'est pas très souvent à la maison en ce moment.

— Alors, si Russell vient chez toi, tu accepteras de lui parler ?

— Oui. Non. Je sais pas.

Je ne sais pas. Je ne sais pas ce que je ressens, je ne sais pas ce que je pense. Je ne sais même pas si j'ai envie de le retrouver ou pas.

— Je vais y réfléchir, je dis à Magda. Pour l'instant, occupons-nous plutôt de ce que nous allons faire pour Nadine.

Nous avons tout notre temps pour organiser notre espionnage, mais il faut d'abord trouver ce cinéma. Nous sommes allées à Londres des tonnes de fois, mais presque toujours avec nos familles et, dans ces cas-là, on ne fait pas très attention aux lignes de métro. Après nous être trompées de sens sur la Northern Line, Magda et moi, on atteint quand même Leicester Square. On regarde partout, on demande dix fois notre chemin et on trouve enfin le cinéma dans une petite rue de Soho.

C'est bien le même nom mais pas les bons films. Ce cinéma-là passe une sélection de films porno minables. Il n'est nullement question d'une projection spéciale *Xanadu*. Je prends une profonde inspiration et j'entre, me sentant toute petite et toute timide. Je pose la question à la caissière et elle me dévisage comme si j'étais cinglée.

— C'est une série télévisée. Pas question qu'on passe un truc pareil. Et j'ai bien peur que nos films te soient tous interdits, tu es trop jeune.

— Ne vous inquiétez pas, je n'ai aucune envie de les voir, ces films, je réponds avant de filer.

— Alors, il raconte des bobards à Nadine rien que pour qu'elle accepte de le rencontrer, conclut Magda. Oh, Ellie, je suis tellement contente que tu sois là !

Elle me serre le bras. Sans réfléchir, je lui rends sa pression.

— Alors, reprend-elle, on va l'attendre au coin de la rue ?

— Entrons dans le Starbucks de l'autre côté de la rue. De là, on verra bien le cinéma. On ne pourra pas louper Nadine – ni lui d'ailleurs. Je me demande à quoi il ressemble. Peut-être qu'il a menti là-dessus aussi ?

— Il a raconté à Nadine qu'il est grand et brun avec des yeux marron. D'après lui, il s'habille de façon traditionnelle, mais il est plutôt mignon. Elle, elle s'attend à un type dans le genre de Robbie Williams.

— Nadine est tellement bête.

J'ai à peine lâché ces mots qu'un type d'environ dix-neuf ans, beau comme un dieu, passe devant la vitrine du Starbucks, traverse la rue et s'arrête près du cinéma.

J'en reste bouche bée. Magda de même.

— Oh là là, ça doit être lui !

— Et il ressemble vraiment à Robbie Williams !

— Oh la veinarde, la veinarde, la veinarde !

— Le fait d'être superbeau ne l'empêche pas forcément d'être zarbi.

— Moi, je veux bien qu'il soit zarbi avec moi tous les jours de la semaine, affirme Magda.

— Et pourquoi il a dit qu'on passait *Xanadu* dans ce cinéma alors que ce n'est pas vrai ?

— Il s'est peut-être simplement trompé. Je suis toute prête à lui offrir le bénéfice du doute ! Eh, il regarde sa montre. Il a dix bonnes minutes d'avance. Oh, viens, Nadine, on laisse pas attendre un type pareil !

Mais ce n'est pas Nadine qu'il attend. Une rousse somptueuse avec une veste soyeuse et un jean hypermoulant le rejoint d'un pas nonchalant. Ils se sourient, ils s'embrassent et ils entrent dans le petit restaurant chinois à côté du cinéma.

Magda et moi, nous soupirons.

Les hommes qui entrent dans le cinéma sont bien différents.

— Celui-là porte bien l'ignoble imper traditionnel ! je m'exclame. Et regarde celui-là ! Il est gros et... vieux !

— Pas ceux-là, dit Magda en riant.

Deux garçons boutonneux avec des casquettes de base-ball discutent d'un air sournois. Ils rabattent la visière de leurs casquettes pour cacher leur visage.

— Ils essaient de se vieillir pour pouvoir entrer. Ils doivent avoir notre âge. Eh, imagine qu'Ellis soit un collégien, en fait !

— À en juger par ses e-mails, il a l'air d'en connaître un rayon ! je dis.

Nous observons les garçons qui se font rembarrer. Un vieux type barbu hoche la tête en les regardant. Debout devant la vitrine où sont affichées quelques photos des films, il mate copieusement les filles à poil.

— Berk ! Regarde la façon dont il se caresse la barbe ! Je déteste les barbes ! dit Magda. Oh pardon, Ellie, j'avais oublié que ton père en a une.

— T'inquiète pas. Moi aussi, je déteste ça.

— Mais ton père, c'est un artiste. Il faut bien qu'il ait le physique du rôle. Tous les artistes sont barbus.

— Seulement les vieux. Et le problème, c'est qu'il n'est pas vraiment artiste : actuellement, il ne peint strictement rien...

Je me tais. Nadine arrive, les mains dans les poches, s'efforçant d'avoir l'air désinvolte. Elle est plus pâle que jamais et jette autour d'elle des regards inquiets. Ses yeux passent par-dessus l'épaule du barbu devant la vitrine. Elle fronce les sourcils, l'air étonné.

Le vieux barbu l'examine d'un air concupiscent. Aujourd'hui, elle s'est surpassée dans le genre gothique. Elle a les yeux lourdement cernés de noir et ses cheveux sont rejetés en arrière, genre crinière sauvage. Elle a la taille serrée dans une énorme ceinture noire lacée et elle porte des tas de petites boucles d'oreilles pinçantes ainsi qu'une très longue chaîne qui lui traîne presque jusqu'aux genoux.

— C'est une chaîne de chasse d'eau ? demande Magda en riant.

— Xanadu en porte une. Elle est censée contenir la clé de son cœur.

— Je me demande si Nadine pense que cet Ellis est la clé de son cœur à elle ? Tu crois qu'il va venir ?

— Elle a l'air sacrément nerveuse, non ? Eh, je déteste la façon dont ce vieux cochon la mate de partout. Oh, bon Dieu ! Voilà qu'il lui parle !

Le vieux parle très longuement à Nadine. Elle a l'air sous le choc.

— Mais qu'est-ce qu'il lui raconte ? demande Magda, outrée.

— Pourquoi elle l'envoie pas sur les roses ?

Nous nous collons contre la vitre, les yeux fixés

sur Nadine. Le vieux type s'est rapproché d'elle. Nadine a la main sur la bouche. Il dit encore quelque chose, il sourit. Puis il lui pose la main sur l'épaule ! Nadine essaie de se dégager mais il la tient solidement. Elle recule d'un pas mais il se cramponne.

— Viens, Mags ! je crie.

— Ouais, on va la sauver !

Nous sortons en trombe du Starbucks et nous traversons la rue.

— Nadine !

— Tout va bien, Nadine, on est là !

Nadine nous regarde comme si on tombait tout droit du ciel. Le vieux aussi. Il a l'air surpris, mais il tient toujours Nadine.

— Lâchez-la immédiatement ! je dis d'un ton méchant.

— Ouais, cassez-vous, vieux cochon ! renchérit Magda.

— Attendez, Nadine est ma petite copine, pas vrai, ma chérie ? dit-il en la caressant d'une manière qui me donne envie de vomir.

— Vous êtes assez vieux pour être son grand-père ! Fichez-lui la paix ou on va prévenir la police et ils vous arrêteront pour harcèlement de mineure, je dis.

Il commence à avoir l'air inquiet. Il observe Nadine.

— Parle-leur donc, ma petite chérie, dit-il.

— C'est à vous que je vais parler, crie Nadine. Allez vous faire voir ! Fichez le camp ! Je n'ai rien à voir avec vous.

Alors il s'éloigne, il descend la rue, il tourne le coin, il a disparu. Nadine éclate en sanglots.

— Oh, Naddie, ne pleure pas. Tout va bien, il ne reviendra plus, je dis.

— Ne sois pas fâchée contre nous parce qu'on est là. Mais on se faisait tellement de souci pour toi. Dès qu'Ellis arrive, on disparaît de la circulation.

— C'était lui Ellis, sanglote Nadine.

— Quoi ?

— Mais c'est un vieux !

— Il a dit qu'il s'était rajeuni de quelques années.

— Quelques !

— Il a dit aussi qu'il était sûr que ça ne me dérangerait pas de sortir avec lui. Que la projection *Xanadu* était annulée mais... mais que ça n'avait pas d'importance, parce que je ressemblais tellement à Xanadu que c'était comme si on était tous les deux dans notre propre petit spectacle...

— Beurk ! Beurk ! Beurk !

— Je sais. Il est immonde... et il fait peur.

— Bon, c'est pas grave. Cette histoire est terminée, tu ne le reverras plus jamais de ta vie. Et nous, on est là. On va s'occuper de toi.

— Je suis tellement bête ! sanglote Nadine. J'étais vraiment amoureuse d'Ellis. Et maintenant, j'ai l'impression que ce vieux dégoûtant l'a volé. Oh, tu avais raison sur toute la ligne, Ellie. Et tu ne m'as même pas dit : « Je te l'avais bien dit... »

— Pas encore ! je la menace en l'embrassant.

— Tu es la meilleure amie du monde, déclare Nadine en m'embrassant à son tour. Et toi aussi, Mags. Au fait, vous êtes réconciliées, toutes les deux ? ajoute-t-elle en nous regardant d'un air inquiet.

Magda se tourne vers moi.

— Bien sûr que oui, je réponds. Nous sommes les trois meilleures amies du monde, pour l'éternité de l'éternité.

Calcule ton degré d'émotivité
en répondant par oui ou par non à ces questions.

1. Les infos que montre le journal télé te touchent-elles particulièrement ?

2. Lorsque l'une de tes amies pleure, t'arrive-t-il de verser toi aussi une larme ?

3. Si quelqu'un a un fou rire près de toi, te contamine-t-il ?

4. Ta mère te dit qu'elle est fière de toi, cela te fait-il rougir ?

5. Tu apprends que quelqu'un ne t'apprécie pas, ressens-tu beaucoup de peine ?

6. Sursautes-tu lorsque le téléphone sonne ?

7. Quand un prof te fait une remarque, y repenses-tu après ?

8. Est-il déjà arrivé qu'un livre te donne envie de pleurer ?

9. Es-tu susceptible ?

10. Défends-tu tes idées avec ardeur et enthousiasme ?

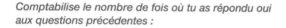
Comptabilise le nombre de fois où tu as répondu oui
aux questions précédentes :

- entre 6 et 10 oui :

Tu es très émotive. Tes réactions sont spontanées car tu ne sais pas cacher tes émotions. Malheureusement, cela donne parfois lieu à de violentes colères ou crises de larmes... mais heureusement, à des moments de fou rire aussi! Tu es quelqu'un d'authentique et de passionné : pour toi, on ne triche pas avec les sentiments. Essaie d'apprendre à contrôler les tiens un peu mieux, car cette qualité n'est pas toujours appréciée à sa juste valeur...

- entre 4 et 6 oui :

Tu es dans la moyenne. Oui, tu es une personne sensible, et cela se voit, mais tu restes modérée dans l'expression de ces émotions. Les événements extérieurs te touchent beaucoup et te font réfléchir. Engage-toi un peu plus, n'hésite pas à exposer tes sentiments, à montrer un peu plus ta sensibilité.

- entre 0 et 4 oui :

Il semblerait que tu aies un cœur de pierre... Mais est-ce la vérité ou juste une apparence que tu souhaites donner? Toutes ces choses ne te touchent-elles vraiment pas? Méfie-toi, tu risques de tomber dans l'indifférence totale... Tourne-toi vers les autres, ils méritent sûrement un peu d'intérêt, non?

17
Les filles pleurent quand
tout est bien qui finit bien

Je continue à penser au vieux barbu. Il ne cesse de se transformer en quelqu'un d'autre. Quelqu'un d'horriblement familier. Il a la barbe de papa – et les cheveux de papa et les yeux de papa et la tête de papa. C'est comme si c'était mon père qui bavait sur Nadine.

— Tu es drôlement silencieuse, Ellie, dit Magda dans le train. On est bien redevenues amies, hein ?

— Oui.

— Et tu vas aussi te réconcilier avec Russell ? demande Nadine.

— Je ne sais pas encore. Mais ce n'est pas seulement à cause de la fête. Il y a tout un tas d'autres trucs. En ce moment, les hommes, c'est pas mon truc.

— Ni le mien, ajoute Nadine en frissonnant.

— Les filles, comptez pas sur moi là-dessus ! s'exclame Magda. Écoutez, il est encore très tôt. Pourquoi vous ne viendriez pas chez moi regarder une vidéo ? Je crois que j'ai même le pilote de *Xanadu*. Nads ! On va piquer un gâteau au fromage de ma mère et on va s'offrir une petite fête. Après, papa pourra vous raccompagner pour de vrai. D'accord ?

— Super ! accepte Nadine.

Elles me regardent.

— Ça me plairait bien, mais...

— Oh, Ellie, tu es encore fâchée, je le savais ! gémit Magda.

— Mais non, pas du tout, espèce d'andouille, je réponds en lui décochant un petit coup de coude. C'est juste... Bon, j'ai quelque chose d'autre à faire avant de rentrer chez moi.

— Qu'y a-t-il de plus important qu'une bonne rigolade entre copines ? dit Magda.

Nadine pousse alors un soupir et la pousse en formant un mot avec ses lèvres.

— Ooooh ! s'exclame Magda, et elles me regardent en souriant toutes les deux.

— D'accord, dit Magda. Évidemment, Ellie.

Passe demain alors ou après-demain ou quand tu veux.

Elles croient que je veux aller chez Russell pour me réconcilier avec lui.

Je ne sais vraiment pas si j'en ai envie ou pas. Mais en tout cas, ce n'est pas là que je vais ce soir. Je vais à l'école d'arts appliqués.

J'en ai marre de papa. Je veux m'expliquer avec lui. Il n'arrête pas de nous servir cette excuse idiote qu'il travaille tard. C'est évidemment faux. Il est en vadrouille quelque part avec une de ses étudiantes. J'en suis sûre. Quelqu'un qui a la moitié de son âge. Il doit la lorgner d'un œil concupiscent, comme cet immonde Ellis – et elle ne doit pas avoir l'air beaucoup plus vieille que Nadine.

Je vais me rendre moi-même dans son bureau pour pouvoir affirmer qu'il était vide et ensuite accuser papa quand il rentrera.

Alors, je dis au revoir à Magda et Nadine devant la gare et je me hâte vers l'école. Ça fait un peu bizarre d'être toute seule dans les rues. Je n'arrête pas de voir des hommes qui traînent dans l'ombre. Je les dévisage tous, les poings serrés, prête à leur allonger un bon coup en pleine figure s'ils tentent quoi que ce soit. Je sais que je suis en train de péter les plombs et qu'il s'agit d'hommes absolument inoffensifs qui rentrent du travail ou du pub ou qui sont simplement sortis se promener, mais je commence à soupçonner tous les hommes – et surtout mon père.

J'atteins rapidement l'école et j'examine le grand bâtiment sombre. Je sais où se trouve le bureau de papa, tout en haut. Il n'y a pas de lumière. Et voilà ! Et il prétend travailler tard ! L'école est plongée dans l'obscurité, à part une lampe au rez-de-chaussée, où se trouvent les ateliers. Je jette un œil... et je retiens mon souffle. Papa est là ! Je n'aperçois que son profil parce qu'il se tient près de la fenêtre. Sa tête s'incline d'avant en arrière. Comme s'il regardait quelqu'un. Oh là là !

Il est là, dans l'atelier. Sûrement avec une étudiante. Comment ose-t-il ? Alors que la pauvre Anna se ronge les sangs à la maison.

Je franchis le portail en courant et je me précipite vers l'entrée. Les portes sont verrouillées mais il y a une entrée latérale réservée au personnel encore ouverte. Je prends le long couloir. Mes pas résonnent étrangement dans le bâtiment silencieux. J'essaie de marcher sur la pointe des pieds, aussi discrète qu'un cambrioleur. Je me faufile jusqu'à l'atelier. J'ai le cœur qui bat la chamade. Je me demande bien ce que je suis en train de fabriquer. J'ai tellement peur de ce que je vais voir.

Peut-être que je ne devrais pas m'en mêler, après tout ? Non, il faut que j'en aie le cœur net. Je vais affronter papa. Je m'en fiche que ce soit épouvantablement gênant. Il faut que je sache. Si mon papa ne vaut guère mieux qu'un vieux pervers dégoûtant, alors il faut que j'assume cette réalité et que je la lui fasse assumer à lui aussi.

J'ouvre brutalement la porte de l'atelier. Papa manque s'étrangler. Il est tout seul ! Debout devant une toile, il peint. Il y a un miroir installé devant lui. Il est en train de faire un autoportrait. Je l'ai fait sursauter tellement fort qu'il s'est barbouillé le nez de peinture couleur barbe.

— Bon Dieu, Ellie ! Regarde ce que tu m'as fait faire ! Tu m'as collé une peur bleue ! Mais qu'est-ce que tu fiches ici ?

Je l'observe fixement, muette.

— Tu me surveilles ? demande papa.

— Non ! Enfin...

— Ellie, je te l'ai dit et redit, je n'ai pas de liaison secrète. Ce serait un sacré coup de chance à mon âge, d'ailleurs ! Toutes mes étudiantes me traitent comme un vieil idiot sinistre qui a depuis longtemps dépassé la date de péremption. Ce qui est sans doute la vérité.

— Mais non, pas du tout, papa, je réponds, assez mal à l'aise. Je suis désolée de t'avoir fait peur comme ça. Tu vas pouvoir effacer cette grosse tache, non ?

— Je sais pas. Peut-être que ça améliore le tableau. Me voilà avec un nouveau nez barbu.

Je m'approche de papa pour examiner attentivement le tableau. Il est bien, évidemment. Papa a toujours été doué en peinture, même s'il n'a rien fait depuis des siècles. Il s'est reproduit lui-même avec un luxe de détails presque douloureux, n'omettant aucune ride, aucun cheveu gris. Il a accentué son ventre bedonnant, son dos voûté, ses vieilles chaussures éculées.

Sur le tableau, il s'est représenté debout devant son chevalet, en train de peindre, le regard braqué sur son travail. C'est le portrait d'un papa bien différent. Il paraît plus jeune, avec une barbe taillée, des cheveux courts, un ventre plat et des vêtements noirs et bien coupés. On dirait qu'il est dans une exposition. Peut-être s'agit-il de sa vision intime. Il est entouré d'admirateurs. Anna, Eggs et moi nous sommes là, il y a toute une troupe de jolies filles à longues jambes qui lèvent leurs coupes de champagne à sa santé, il y a d'autres hommes plus âgés qui rédigent des chèques, payant chaque tableau une fortune.

— Oh papa, je dis doucement.

— Ouais. C'est triste, hein ?

— C'est un tableau... magnifique.

Mais triste. Manifestement, papa n'est que trop conscient de n'avoir pas réussi à accomplir tout ce qu'il avait tant souhaité jadis.

— Il n'a rien de magnifique, Ellie, mais c'est le mieux que je puisse faire. Je travaille dessus depuis des soirs et des soirs, je me donne un mal de chien. Mais tout cela est assez inutile. C'est lui que je veux être... (papa désigne le portrait dans le portrait) mais c'est celui-là que je suis. Un vieil idiot jaloux.

— Oh, papa ! je n'aurais jamais dû dire une chose pareille. Je suis tellement désolée. Je ne le pensais pas vraiment. Et le vrai toi, je l'aime beaucoup beaucoup plus.

— Eh bien, ça me fait plaisir, Ellie, même si tu ne dis ça que pour être gentille avec ton vieux papa.

— Anna aussi préfère le vrai.

— Je n'en suis pas aussi sûr que toi. Elle commence à évoluer dans un univers différent à présent. Je crois qu'elle en a ras le bol de moi. Peut-être va-t-elle rencontrer un styliste branché et plein de succès...

— Peut-être. Mais elle ne voudra pas de lui, papa. C'est toi qu'elle veut. Je le sais. Elle se fait un sang d'encre à ton sujet. Pourquoi tu ne nous as pas dit que tu travaillais sur un tableau ?

— Je voulais voir si j'étais capable de faire quelque chose de vraiment bien. Je ne voulais pas en parler au cas où ce serait un échec. J'avais besoin de garder ça pour moi.

— Et peut-être que tu avais un petit peu envie d'inquiéter Anna ? je suggère.

— Elle est tellement occupée qu'elle ne remarque pas si je suis là ou pas, répond papa.

— Oh, papa ! Tu sais que c'est faux ! Anna a tellement besoin de toi. Elle t'aime.

— Et moi aussi... je l'aime, marmonne papa.

— Alors pourquoi ne pas rentrer à la maison pour le lui annoncer ? je propose.

— D'accord. On va à la maison. Ellie, tu trouves vraiment que ce tableau est bien ?

— Je te l'ai dit, papa. Il est magnifique.

— Bon... Je dirais qu'il n'est pas trop mauvais. Il faut encore que je travaille pas mal dessus.

— Comme le nez poilu ?

— Ça, je vais l'arranger en un clin d'œil.

Papa plonge son pinceau dans de la peinture beige rosé et commence à recouvrir le gris.

— Eh papa, essaie d'effacer ta barbe aussi. Histoire de voir à quoi tu ressembles sans.

— J'ai toujours eu une barbe, rétorque papa.

— Même quand t'étais un petit garçon ?

— Absolument. Bébé, j'étais seulement mal rasé, c'était charmant, quand j'ai commencé à marcher, j'ai eu un petit bouc et depuis que j'ai six ans, je me laisse pousser la barbe sans la tailler, répond papa en riant. D'accord, d'accord, on va la faire disparaître.

Il recouvre sa barbe d'un pinceau adroit. Sur le tableau, son visage paraît étrangement nu, mais je crois que ça me plaît.

— Ça te donne l'air beaucoup plus jeune, papa.

— Tu trouves ? répond-il en caressant sa vraie barbe. Mmm... Je devrais peut-être me raser.

— Il faut demander l'avis d'Anna. Le genre Père Noël, ça lui plaît peut-être.

— Personne ne sait vous insulter comme une fille aînée, déclare papa.

Il me donne un petit coup du bout de son pinceau. J'en prends un à mon tour et nous nous engageons dans un duel pour rire. Papa est de nouveau papa, et c'est un tel soulagement.

Nous rentrons ensemble à la maison. Je monte directement me coucher pour laisser Anna et papa discuter. J'ignore s'ils vont réussir à se réconcilier, mais en tout cas, au petit-déjeuner, le lendemain matin, ils paraissent tous les deux particulièrement guillerets.

Papa dépose un petit baiser sur la joue d'Anna quand il part travailler. Je lève les sourcils. Anna s'empourpre et sourit de toutes ses dents. On entend le courrier tomber dans la boîte aux lettres. Eggs court le chercher.

— Nul nul nul, dit-il en examinant le courrier professionnel d'Anna. Pourquoi tu reçois autant de lettres maintenant, maman ?

— À cause de mes pull-overs, mon chéri. Il va peut-être me falloir bientôt une secrétaire, quelqu'un qui m'aide à répondre à toutes ces lettres. Et on va trouver une dame comme il faut pour s'occuper de toi après l'école, Eggs, si je ne peux pas être là. Il faut vraiment que je m'organise... d'une manière ou d'une autre ! déclare Anna.

Eggs a encore une lettre dans chaque main.

— Ça, c'est pour toi, Ellie, déclare-t-il. C'est pas juste, moi aussi, je veux une lettre.

— Après l'école, je t'écrirai une lettre du Cow-Boy-des-Céréales, d'accord ? je propose. Tu me passes mon courrier, maintenant ?

Je prends les enveloppes et je les examine à tour de rôle, le cœur battant. Je reconnais l'écriture sur les deux. Je ne sais pas par laquelle commencer. Je jongle avec et puis j'ouvre celle de Nicola

Sharp. Je regarde la feuille. Elle s'est dessinée à la fin, main dans la main avec ses fées arc-en-ciel !

Chère Ellie,
Ne t'inquiète pas, je considère que tu es une illustratrice absolument originale. Je trouve extrêmement touchant que tu aies utilisé la souris conçue par ta mère comme point de départ, mais tu as sûrement beaucoup évolué et Myrtille est devenue tienne.
J'adore tes vignettes ! Ça me ferait plaisir de voir d'autres dessins de toi. Peut-être pourrions-nous nous voir un jour ? Aimerais-tu passer dans mon atelier pendant les vacances d'été ? Je te montrerais comment dessiner des fées arc-en-ciel, et toi, tu me montrerais comment dessiner Myrtille-la-Souris.
Avec toute mon amitié,
Nicola

— Waouh ! je m'écrie. Nicola Sharp me propose de venir dans son atelier, Anna ! Ça ne la dérange pas du tout que Myrtille ait été inventée par maman. Elle pense quand même que mon travail est original !

Je lui tends la lettre. Voyant les dessins en couleurs, Eggs tente de s'en emparer.

— Attention, mon chéri, le prévient Anna.

C'est une lettre très précieuse. Regarde, Nicola Sharp a fait un joli dessin rien que pour Ellie !

— Je préfère les dessins d'Ellie ! crie Eggs. Tu me dessineras un Cow-Boy-des-Céréales sur ma lettre, Ellie ?

— Oui, promis, je réponds en ouvrant ma deuxième enveloppe.

Il y a une très grande feuille pliée à l'intérieur.

— C'est de Russell ? s'enquiert Anna.

— Je crois.

Je la déplie, les mains tremblantes. C'est un immense dessin représentant une énorme bague gravée du mot « Pardon » qui se répète à l'infini, avec des petits cœurs et des fleurs entre chaque mot. Ça a dû lui prendre des heures pour dessiner tout ça, et en plus il a colorié – avec beaucoup de soins – chaque fleur d'une teinte différente. L'anneau doré magnifiquement travaillé et le fond d'un beau bleu uni et brillant.

En dessous, Russell a écrit :

Ellie chérie,
Je te demande pardon pardon pardon pardon pardon pardon pardon pardon. Est-ce qu'on peut tout effacer et repartir à zéro ? J'irai au McDo où on s'est

rencontrés la première fois directement après les cours et je t'y attendrai...

    Je t'embrasse

Russell

— Alors, demande Anna, il s'excuse comme il faut ?

— Je... je crois que oui.

— Dans quelle disposition d'esprit es-tu à son égard ?

— Je sais pas, je réponds.

— Je crois que si ! me dit Anna en souriant et en me serrant dans ses bras.

Je cours pratiquement jusqu'au collège. Je tourne le coin de la rue... et voilà l'Homme-de-mes-rêves qui part travailler.

— Ellie ! J'espérais tellement tomber sur toi !

— Pas au sens littéral du terme cette fois ! Kev, merci de t'être occupé de moi comme ça l'autre soir. Tu as été tellement gentil. J'étais dans un état épouvantable, non ? Je suis totalement désolée !

— Inutile de te demander comment ça va aujourd'hui ! Tu t'es remise avec ton petit ami, non ?

— Qu'est-ce qui te fait penser ça ?

— Parce que tu as un sourire jusqu'aux oreilles !

Mon sourire reste accroché toute la journée. Nadine et Magda se moquent gentiment de moi. J'ai du mal à attendre la fin des cours. Je commence à courir dans le couloir dès que la cloche sonne.

— Du calme, Ellie, tu vas renverser les petites ! crie Mme Henderson derrière moi. Je voudrais bien pouvoir te faire courir aussi vite sur le terrain de sports ! N'empêche, ça me fait plaisir de voir que tu as retrouvé le moral.

Je souris à Mme Henderson. Après tout, c'est pas une si vieille bique que ça.

Et puis je repars au triple galop. Je sors du collège, je fonce au McDo... et là, assis à une table, je vois Russell. Il regarde autour de lui d'un air inquiet, il a les cheveux emmêlés et les yeux cernés. Il se cramponne à son carnet de croquis. J'ai envie de me précipiter dans ses bras, mais je m'oblige à avancer lentement et à aller commander un Coca et des frites.

Et puis je m'assois à une table en face de lui. Je sors mon petit carnet. Je commence à dessiner, tout en grignotant mes frites et en sirotant mon Coca. C'est Russell que je dessine. Lui aussi est en train de me dessiner. Je le dessine en train de me dessiner et lui me dessine en train de le dessiner. Chaque fois que nous relevons la tête, nos yeux se croisent. Je ne peux pas m'empêcher de sourire. Russell aussi.

Il se lève et se dirige vers moi. On dirait bien qu'on redémarre à zéro.

Ce ne sera pas pareil.

Ce sera différent.

Peut-être mieux.

Il n'y a plus qu'à voir ce qui va se passer...

Petits conseils

Petits conseils pour pleurnichardes...

1. Aie toujours un peu

de maquillage dans ton sac : une petite retouche est nécessaire (poudre pour faire disparaître les rougeurs et mascara pour rendre tes yeux un peu moins tristounets…).

2. Aie toujours un paquet

de mouchoirs dans ce même sac… Ça t'évitera de renifler pendant des heures, c'est pas très distingué !

3. Si tu ne veux pas

qu'on pense que tu as pleuré mais que tes yeux te trahissent, dis que tu as la crève ou que tu fais une conjonctivite, ça marchera auprès des plus crédules.

4. Garde sur toi une photo

marrante d'une copine ou de ta sœur, qui te fera forcément sourire et te remontera le moral dès que nécessaire.

5. Évite d'aller au ciné

voir un film sentimental avec un garçon pour ton premier rendez-vous, ton émotivité pourrait l'effrayer. Opte plutôt pour une bonne comédie ou un film qui fait peur et pendant lequel tu pourras te serrer contre lui…

6. Au lieu de faire la fille

très pudique et de passer pour quelqu'un de bizarre, devance tes crises de larmes en les annonçant : « Oh non, pas ça, je vais encore pleurer comme une madeleine ! » Si on rit de ses petits défauts, les autres s'en moquent beaucoup moins !

7 Lorsque tu as très envie

de pleurer, tu peux t'isoler dans les toilettes et essayer au choix l'une de ces deux techniques : le yoga, qui te calmera, ou le hurlement, qui te défoulera !

8 Évite de te jeter

en larmes dans les bras de ton chéri s'il a un pull blanc et que tu es maquillée, il risque de ne pas trop apprécier les taches de mascara sur son joli pull !

9 Si quelqu'un

(un prof ou un parent par exemple) t'impressionne beaucoup et te donne envie de pleurer, imagine-le dans une situation cocasse (en train de chanter, nu, sous la douche, ou débarquant dans la rue en pyjama lors d'une crise de somnambulisme), ça le désacralisera !

10 Pour finir, dis-toi que,

même si les larmes donnent encore plus d'éclat aux yeux, c'est quand même quand elle sourit qu'une fille est la plus jolie !

TABLE

1. Les filles pleurent quand elles sont heureuses 9

2. Les filles pleurent quand leurs copines leur parlent méchamment 21
   TEST : Es-tu pleurnicharde ? 32

3. Les filles pleurent quand leur hamster meurt 35

4. Les filles pleurent quand elles détestent la tête qu'elles ont 47
   TEST : Es-tu de nature jalouse ? 56

5. Les filles pleurent quand les autres copient leurs idées 59

6. Les filles pleurent quand ça va mal à la maison 71

PETITS CONSEILS : 10 trucs pour dédramatiser un chagrin et surmonter une situation de crise 81

7. Les filles pleurent quand leurs copines font des secrets 83

8. Les filles pleurent quand leurs copines les traitent de grosses 95

TEST : Es-tu sûre de toi ? 102

9. Les filles pleurent quand elles se disputent avec leurs copines 105

10. Les filles pleurent quand leur petit ami ne comprend rien............................... 117

TEST : Sais-tu vivre de façon cool ? 132

11. Les filles pleurent quand leurs rêves se réalisent ! 135

12. Les filles pleurent quand leur petit ami les trahit... 149

TEST : Comment réagis-tu face à une trahison ? 164

13. Les filles pleurent quand elles ont le cœur brisé en mille morceaux 167

14. Les filles pleurent quand elles se sentent seules 185

TEST : Comment te ressources-tu ? 194

15. Les filles pleurent quand la mémoire leur revient au réveil 197

16. Les filles pleurent quand elles s'excusent. 209

TEST : Calcule ton degré d'émotivité 225
17. Les filles pleurent quand tout est bien
    qui finit bien 227
    PETITS CONSEILS pour pleurnichardes... . 242

JACQUELINE WILSON

Jacqueline Wilson est née à Sommerset, en Angleterre. Elle commence par travailler dans une maison d'édition, puis elle est journaliste pendant deux ans avant de se consacrer pleinement au métier d'écrivain. Auteur aux talents multiples, elle écrit des romans policiers ainsi que des livres pour enfants. En 1995, elle est récompensée par le Children's Book Award, prix littéraire anglais des plus prestigieux. Sa notoriété est telle qu'elle reçoit chaque semaine plus de trois cents lettres de jeunes lecteurs. La série des Trois filles... est un best-seller en Angleterre.

Retrouve tous les titres de Planète filles

Tu adores les aventures de Mia, retrouve-la vite

dans le tome I « Journal d'une Princesse »,
le tome II « Premiers pas d'une Princesse »,
le tome III « Une Princesse amoureuse »,
le tome IV « Une Princesse dans son palais »,
le tome V « L'anniversaire d'une Princesse »,
le tome VI « Une Princesse rebelle et romantique ».

~ * ~

Composition *JOUVE* – 62300 Lens
N° 1015301a
Impression par France par Hérissey – 27000 Évreux
Dépôt légal imprimeur : 100942 - Éditeur : 67785
20.16.1083.3 / 00 - ISBN : 2.01.201083.0
Loi n° 49-956 du 16 juillet 1949 sur les publications destinées à la jeunesse.
Dépôt légal : février 2006.